UNO DE VOSOTROS ES DIABLO

Dag Heward-Mills

Parchment House

UNO DE VOSOTROS ES DIABLO

Título original en inglés:
One of you is a Devil

Traducción al español: Graciela Femat

Publicado por primera vez en 2017 por Parchment House
1era impresión 2017

Descubre más sobre Dag Heward-Mills en:

Campaña Jesús Sanador
Correo electrónico: evangelist@daghewardmills.org
Página electrónica: www.daghewardmills.org
Facebook: ObispoDag Heward-Mills
Twitter: @DagHewardM

ISBN: 978-1-68398-765-9

Índice

CAPÍTULO 1

Cómo los pecados de los demonios pueden convertirse en pecados humanos

Jesús les respondió: ¿No os he escogido yo a vosotros los doce, y UNO DE VOSOTROS ES DIABLO?

Juan 6:70

Jesús les dijo a Sus discípulos «Uno de vosotros es diablo». Jesús conocía al diablo desde el tiempo de su caída. Sabía de su depravación, de su maldad, de su naturaleza, de sus pecados y de su caída. La declaración de Jesús sobre sus discípulos cuando dijo: "Uno de vosotros es diablo", sin duda fue poderosa.

Significaba que uno de los discípulos andaba en los pecados y en los pasos del mismo diablo. Uno de sus discípulos estaba comportándose igual que el diablo. Para Jesús fue demasiado fácil reconocer al diablo porque ¡sabía de la gloria pasada de Lucifer, de sus pecados y de su caída!

En la actualidad, muchos seres humanos andan en los pecados y en los pasos de Lucifer. Cometen todos y cada uno de los pecados que Satanás cometió. Muchos pastores andan en los mismos pasos que Lucifer, y terminan en el mismo estado confuso de tinieblas en el que Satanás está en la actualidad. ¿Tú estás comportándote como el diablo? ¿Eres diablo? ¿Conoces a alguien que esté comportándose como el diablo y cometiendo todos los pecados que cometió Lucifer?

En la actualidad, Satanás está atado y confinado a cadenas de tinieblas en lugar de estar libre y feliz en ámbitos de luz y eternidad. Su vida, su ministerio y su futuro están destruidos a causa de los errores y pecados que él cometió cuando era un ángel en el cielo. Engañó a miles de ángeles, y ha provocado toda la confusión, conmoción y maldad que hay en el mundo actual.

Muchos ministros viven confundidos y están confinados al fracaso, a la pobreza y a la oscuridad extrema. Ni siquiera saben lo que les está sucediendo. No comprenden por qué sus ministerios están tan limitados, confinados y pobres.

Estás a punto de descubrir todos y cada uno de los pecados de Satanás, ¡y después de leer este libro, no caminarás en ellos!

En este libro, quiero compartir cómo puedes evitar convertirte en diablo y cómo evadirte para no andar en los pecados de Satanás. Todo ministro del evangelio debe tener el deseo ferviente de evitar andar en los pasos de Lucifer, quien una vez fue uno de los ministros de Dios de más alto rango. Si Lucifer, quien habitó en la luz, pudo caer y causar tanta confusión, ¡cuánto más nosotros los que vivimos en este mundo oscuro y ciego!

CAPÍTULO 2

¿Hay diablos humanos?

Jesús les respondió: ¿No os he escogido yo a vosotros los doce, y UNO DE VOSOTROS ES DIABLO?

Juan 6:70

Debes aceptar que en tu vida puede haber una persona que momentáneamente sea un diablo viviente y tangible en acción. A tal persona no debes obedecerla, no debes rendirte a ella y no debes escucharla.

No debes actuar por lo que ves. Debes actuar por la revelación divina sobre la persona con la que estás tratando.

Ciertas personas deben ser tratadas como diablos porque son (al menos por un tiempo) diablos literales para ti. ¡Algunas personas están completamente poseídas y subyugadas por el diablo! No tratar a ciertas personas como diablos dará por resultado problemas graves. ¿Por qué habría yo de decir algo así? Las Escrituras nos enseñan que no tenemos lucha contra sangre y carne, sino contra principados y potestades. En esta Escritura queda claro que nuestro enemigo no es carne ni sangre, ¡sino espíritu! Ciertamente, nuestra lucha, batalla y pelea no es contra carne y sangre. Es contra espíritus malignos.

Sin embargo, estos espíritus malignos pueden habitar e influir en algunos seres humanos y poseerlos de tal forma que es difícil diferenciar entre un ser humano y el diablo. Cuando esto sucede, los seres humanos literalmente se convierten en diablos, y como tales deben tratarse.

Deseo enfatizar que si el diablo habita e influye en un ser humano, y lo usa, tú no debes permitir que esa persona actúe cerca de ti. He visto ministerios destruidos a causa de pastores que fueron demasiado corteses, demasiado amables y demasiado reprimidos en sus tratos con el diablo. También he visto ministerios destruidos a causa de pastores que fueron demasiado corteses, demasiado amables y demasiado reprimidos en sus tratos con personas que operaban ¡como el mismo diablo!

Hay algunos seres humanos que debes tratar como al mismo diablo. Debes hablar con semejantes personas ¡como si estuvieras hablando con el mismo diablo! No lograr hacer esto es permitirle al diablo existir libremente y maniobrar cerca de ti y en contra tuya.

Diabolos

La palabra *diabolos* generalmente se traduce con la palabra «diablo» y se refiere al diablo literal. La palabra *diabolos* se utiliza treinta y ocho veces en todo el Nuevo Testamento. La palabra *diabolos* se traduce treinta y cinco veces con la palabra diablo. Por ejemplo: «Entonces Jesús fue llevado por el Espíritu al desierto, para ser tentado por el diablo».

Sin embargo, en tres otras ocasiones significativas, la palabra *diabolos* se utiliza para describir a seres humanos. ¿No es asombroso? La palabra *diabolos* se utiliza para referirse nada menos que a *Judas Iscariote*, a *las esposas de algunos pastores* y a algunas otras *mujeres mayores* (Verifícalo tú mismo por favor). Si lo que estoy diciendo está en la Biblia, debes creerlo.

Sigue el ejemplo de Jesucristo y trata a ciertas personas como a diablos

1. **Jesús trató a Pedro como si fuera diablo.**

    Entonces Pedro, tomándolo aparte, comenzó a reconvenirle, diciendo: Señor, ten compasión de ti; en ninguna manera esto te acontezca.

    Pero él, volviéndose, dijo a Pedro: ¡QUÍTATE DE DELANTE DE MÍ, SATANÁS!; me eres tropiezo, porque no pones la mira en las cosas de Dios, sino en las de los hombres.

    Mateo 16:22-23

Así como Jesús, tú debes aceptar la realidad de que algunas personas son poseídas y utilizadas de manera momentánea por el diablo de tal modo que literalmente se vuelven diablos tangibles. Pedro, a quien Jesús nombró líder de la iglesia, por un momento actuó literalmente como diablo, y Jesús trató con él de manera cortante y concluyente. Jesús no le permitió que continuara hablando en Su presencia. Jesús no le permitió que continuara interviniendo en Su vida.

¡Jesucristo no dijo que Pedro estaba bajo *la influencia* de Satanás! ¡Jesús se dirigió a Pedro como al mismo Satanás! Pedro era confianzudo con Jesús. Su nombramiento como cabeza de la iglesia quizá se le había subido a la cabeza y se había movido del lugar que le correspondía. Intentó dirigir a Jesús en Su ministerio. Empezó a hacerle reproches al Hijo de Dios. Le estaba diciendo a Jesús ¡que se olvidará de la locura de la cruz! Recuerda que la palabra de la cruz ¡es locura para muchas personas! Ciertamente, ese día para Pedro era locura. Le dijo a Jesús que no había necesidad de continuar con su camino a alguna cruz. Jesús vio a través de la inmadurez y el exceso de confianza de Pedro. Pero no dijo que Pedro estaba siendo inmaduro o confianzudo. Reconoció a Satanás que usaba la voz de Pedro. Al instante le dio una reprimenda a Pedro, y detuvo a Satanás en un segundo.

Si la gente hubiera reconocido la voz de Satanás cuando Adolfo Hitler daba discursos en 1933, lo habrían parado en seco. Pero incluso algunos pastores aclamaron como héroe a este asesino de masas. Adolfo Hitler ocasionó la muerte de cincuenta millones de personas. De manera deliberada, envió a muchas personas a encontrar su muerte. Sus últimas instrucciones fueron que exterminara a su propio pueblo alemán. Dijo que no merecían vivir porque habían perdido la guerra. Permitirle a ese hombre hablar, vivir, actuar, prosperar y convertirse en líder ha sido el mayor error que Alemania ha cometido. ¡A Satanás se le debe reconocer y se le debe parar en seco!

No permitas que el diablo intervenga en tu vida ni siquiera un minuto. Sé astuto y rápido como Jesucristo. Si encontraras una víbora bitis gabónica en tu sala, ¿la dejarías quedarse unas pocas semanas más?

¡Ten cuidado con las personas que permiten a las víboras bitis gabónica quedarse en su sala! ¡Están cometiendo un error terrible!

¡Ten cuidado con la gente que se vuelve confianzuda contigo!

¡Ten cuidado con las personas que se extralimitan! Tales personas pierden de vista el hecho de que a ellas no les corresponde guiar, controlar o corregir al siervo de Dios.

Tratar con la parte humana de los hombres de Dios puede confundirte y tentarte a salirte del orden establecido.

2. **Jesús trató a Judas como si el fuera diablo.**

Jesús les respondió: ¿No os he escogido yo a vosotros los doce, y UNO DE VOSOTROS ES DIABLO?

Juan 6:70

Discípulos y asociados pueden volverse *diabolos* (diablo) y comportarse igual que el diablo.

Jesús llamó *diabolos* a su propio contador de confianza. A Judas Iscariote se le conoce como *diabolos*. Permitir que un traidor desleal trabaje cerca de ti solo puede equipararse a permitir que una verdadera cobra viva y deambule libremente en tu casa.

No permitas que ningún tipo de persona desleal esté cerca de ti. No permitas que las cobras existan entre tu personal pastoral. Identifícalas y lidia con ellas rápido.

Jesús se refirió a Judas como diablo. No dijo que Judas estaba bajo la influencia del diablo. Dijo que Judas era diablo. Dijo: «¿No os he escogido yo a vosotros…, y *uno de vosotros es diablo?* Si permites que un diablo maniobre libremente en tu vida y ministerio, seguramente vas a tener problemas. Permitir a un asociado desleal maniobrar libremente en la iglesia es lo mismo que permitir a un diablo hacer lo que quiera en la iglesia.

¿Puedes imaginarte tener una víbora de cascabel en la sala de tu casa? ¿Dejarías que continuara viviendo ahí, sin más? ¿No la tratarías como a una asesina? Si encontraras una serpiente mamba negra en tu casa, ¿la dejarías en paz sin más? ¿No la tratarías como algo muy peligroso para tu vida? ¿No la tratarías como algo que trae muerte? ¿No harías todo para sacarla de tu vida? ¿No tratarías de matarla? Creo que una serpiente debe tratarse como fuente de muerte y no como mascota. ¡Una serpiente venenosa no es una mascota! Una serpiente venenosa no merece ninguna gentileza, y sabe que no recibirá ninguna gentileza de tu parte. ¡Por este motivo las serpientes se esconden todo el tiempo!

Jesucristo consideró al desleal Judas como alguien muy peligroso. ¡Lo llamó diablo! Así es como debes lidiar con personas desleales que se vuelven en tu contra y te traicionan. Todos los pastores que tienen una actitud desenfadada hacia la deslealtad, viven para lamentarlo.

Si Jesucristo trató a alguien como diablo, ¿tú por qué te consideras más sabio? Es un grave error de tu parte que trates con la deslealtad como si fuera algo trivial. Tu iglesia no puede crecer porque has permitido a una cobra deambular por ahí libremente. Estás tratando al «asistente cobra» como mascota ¡en lugar de tratarlo como enemigo peligroso! ¡Estás tratando a tu «asistente mamba negra» como mascota en lugar de tratarlo como fuente de muerte y destrucción».

3.   **Jesús trató a los fariseos como si fueran demonios.**

!!Serpientes, generación de víboras! ¿Cómo escaparéis de la condenación del infierno?

Mateo 23:33

Ora pidiendo espíritu de discernimiento de modo que seas como Jesús. Se necesita un gran discernimiento para ver la maldad en las personas religiosas. Se necesita un gran discernimiento para ver a través de la fachada justa que los religiosos presentan. Efectivamente, pocos tenemos verdadero discernimiento, así que decimos que las cosas malas son buenas, y las cosas buenas, malas.

¡Ay de los que a lo malo dicen bueno, y a lo bueno malo; que hacen de la luz tinieblas, y de las tinieblas luz; que ponen lo amargo por dulce, y lo dulce por amargo!

Isaías 5:20

9

Jesús habló con los fariseos y los describió como una generación de víboras. Se refirió a ellos como víboras. Eran víboras espirituales: ponzoñosas, mortales y malvadas. Jesús también les dijo a los fariseos que eran igualitos a su padre el diablo. Si el padre es diablo, es evidente que el hijo también es diablo.

Vosotros sois de VUESTRO PADRE EL DIABLO, y los deseos de VUESTRO PADRE queréis hacer. El ha sido HOMICIDA desde el principio, y no ha permanecido en la verdad, porque no hay verdad en él. Cuando habla mentira, de suyo habla; porque es mentiroso, y padre de mentira.

Juan 8:44

Es importante lidiar con los que se oponen a la unción y matan el ministerio del hombre de Dios. Fueron estos fariseos los que finalmente asesinaron a Jesucristo en la cruz. Y Jesús todo el tiempo supo que ellos eran diablos y asesinos. Por este motivo, Jesús llamó víboras a esos pastores. Jesús los confrontó y lidió con ellos como lo que eran en realidad: ¡diablos! Mucho antes de que asesinaran a Jesucristo, Jesús los llamó diablos y lidió con ellos como tales.

4. Pablo advirtió a las esposas de los pastores que no fueran diablos.

Las mujeres asimismo sean honestas, no calumniadoras *(DIABOLOS)*, sino sobrias, fieles en todo.

1 Timoteo 3:11

¿Puedes creer que el apóstol Pablo utilizó la palabra *diabolos* (diablo) para describir a las esposas de algunos pastores y diáconos? Los traductores de la Biblia tradujeron la palabra *diabolos* como diablo en otras partes de la Biblia, pero en esta Escritura no la tradujeron como diablo. Quizá los traductores tuvieron miedo de aplicar la palabra «diablo» a esposas de pastores. La mayoría de los traductores eran pastores, y titubearían al escribir semejantes cosas. ¡Pero la Palabra es la Palabra! ¡Y la verdad es la verdad! Las esposas de los pastores y las esposas de los diáconos pueden convertirse en diablos. *Diabolos* es la palabra griega para diablo. Por eso Pablo advirtió a las esposas de los pastores que no se convirtieran en diablos. A las pastoras de los diáconos se les advierte que no se conviertan en *diabolos*.

¿Por qué Pablo habría de advertir a las esposas de pastores que no se convirtieran en diablos? Porque la esposa de un pastor puede convertirse en fuerte acusadora y opositora de su marido. La esposa de un pastor también puede convertirse en fuerte contrincante de su marido. Por medio de acusaciones y oposición, algunas mujeres se transforman literalmente en diablos humanos con los que sus maridos tienen que lidiar.

¡No todos los pastores tienen matrimonios buenos! Unos tienen matrimonios promedio y otros tienen matrimonios terribles. A Adoniram Judson lo llamaron «tres veces suertudo» porque se casó tres veces, y cada uno de sus matrimonios fue bueno. William Carey se casó tres veces; tuvo un matrimonio malo y dos matrimonios buenos.

Hay muchos hombres de Dios que en sus casas están lidiando con diablos femeninos físicamente tangibles. Algunos de ellos te dirían que la mayor oposición y reto de su vida y ministerio es la mujer con la que están casados. ¿Por qué sucede esto? Desgraciadamente, muchas mujeres hermosas rápidamente se metamorfosean en acusadoras, opositoras y contrincantes de tiempo completo del hombre de Dios con el que se casaron. Estos pastores tienen que lidiar en casa con un diablo literal, físicamente tangible.

5.   **Pablo advirtió a las ancianas que no fueran diablos.**

Pero tú habla lo que está de acuerdo con la sana doctrina. Que los ancianos sean sobrios, serios, prudentes, sanos en la fe, en el amor, en la paciencia.

**Las ancianas asimismo sean reverentes en su porte;
no calumniadoras (*Diabolos*), no esclavas del vino,
maestras del bien;**

Tito 2:1-3

Las ancianas también son susceptibles a convertirse en diablos.
Las ancianas pueden convertirse en *diabolos* y comportarse
tal y como el diablo. Yo no escribí la Biblia. Tampoco quiero
reescribirla. Leámosla juntos y aceptemos lo que veamos. Esta
Escritura claramente quiere decir que las ancianas pueden
convertirse en falsas acusadoras, calumniadoras, opositoras,
contrincantes ¡y en diablos! Esto es lo que significa *diabolos*.
¿Por qué sucede esto? Muchas ancianas están decepcionadas,
desilusionadas y desanimadas respecto a la vida. Las decepciones
de la vida tienen la forma de alejar a la gente de la alegría, de la
paz, del entusiasmo y del amor.

Muchas mujeres (y hombres) nunca experimentan lo que
esperaban. A muchos se les han arruinado sus expectativas.
Esta profunda decepción de la vida, les abre la puerta a los
diablos. Algunas mujeres mayores, con frecuencia amargadas, se
convierten en habitación de diablos. El entusiasmo, risas, sonrisas
y simpatía de la dulce joven se reemplazan por amargura, maldad,
celos, odio, enfado y disgusto. Una anciana puede literalmente
convertirse en diablo. Mantén tus ojos abiertos, lo verás en la
práctica. Esta podría ser la razón por la que algunos hombres
mayores van y buscan mujeres más jóvenes, más entusiastas, más
felices y amorosas, cuyas almas no están amargadas y abiertas a
la opresión demoniaca.

CAPÍTULO 3

La gloria pasada de Lucifer

Hijo de hombre, levanta endechas sobre el rey de Tiro, y dile: Así ha dicho Jehová el Señor: Tú eras el sello de la perfección, lleno de sabiduría, y acabado de hermosura. EN EDÉN, EN EL HUERTO DE DIOS ESTUVISTE; de toda piedra preciosa era tu vestidura; de cornerina, topacio, jaspe, crisólito, berilo y ónice; de zafiro, carbunclo, esmeralda y oro; los primores de tus tamboriles y flautas estuvieron preparados para ti en el día de tu creación. Tú, querubín grande, protector, YO TE PUSE EN EL SANTO MONTE DE DIOS, allí estuviste; en medio de las piedras de fuego te paseabas. Perfecto eras en todos tus caminos desde el día que fuiste creado, hasta que se halló en ti maldad.

Ezequiel 28:12-15

Satanás solía ser una buena persona y un buen ángel cuando estaba en el cielo. Satanás se llamaba Lucifer cuando era un ángel bueno. Quizá, tú ni siquiera eras tan bueno como Satanás en sus «buenos» tiempos. Como a Satanás, a muchas personas, Dios les da cosas buenas, los establece y los unge en Su presencia.

Posiblemente tú seas una buena persona hoy. Sin embargo, si Satanás cayó de su posición de gloria, también tú puedes caer. Es importante permanecer humilde. Es importante que medies distancia entre tú y cualquier rasgo de separatismo, independencia, rebelión en contra de la autoridad y desobediencia. Estas tendencias pecaminosas convirtieron a un ángel perfecto en una criatura malvada.

¡Satanás fue transformado en un monstruo irreconocible! ¡Cayó desde su estado brillante, atractivo y perfecto! Es importante saber qué tan bueno era el diablo para que sepas hasta qué punto el pecado puede transformar a una persona.

Todos nosotros, líderes de adoración, cantores, pastores y pastores asociados debemos tomar nota de quién fue Lucifer en realidad. Él fue más importante y más agradable que la mayoría de nosotros. No obstante, cambió demasiado cuando la maldad entró en él. Muchas iglesias tienen pastores asociados que son los mejores y los más agradables. Son los más ungidos y los que más probabilidades tienen de apoderarse del liderazgo cuando llegue el momento. Exactamente así era Lucifer. Alguna vez fue ungido, encantador y admirado por todos. Cuando el pecado entró en él, cambió muchísimo y rompió el corazón de todos lo que lo amaban. Dios no tuvo otra opción que expulsarlo del cielo. De manera similar, muchos pastores principales no tienen otra opción que expulsar de la iglesia a sus asociados principales cuando la traición entra en sus corazones.

1. **Alguna vez, Satanás fue un querubín, el cual es una especie de ángel.** Muchos asociados, cantores, líderes de adoración y pastores son angelicales cuando se presentan ante la congregación.

   Tú, QUERUBÍN GRANDE, protector, yo te puse en el santo monte de Dios, allí estuviste; en medio de las piedras de fuego te paseabas.

   Ezequiel 28:14

2. **Alguna vez Satanás fue un ángel ungido y elevado, asignado por Dios.** A muchos asociados, cantores, líderes de adoración y pastores los levantan, los ungen y los designan ante la congregación.

   Cuando fuiste ungido, YO TE PUSE junto con los querubines protectores. Estabas en el santo monte de Dios, y andabas en medio de piedras de fuego.

   Ezequiel 28:14 RVA 2015

3. **Alguna vez Satanás estuvo en el Huerto del Edén.** Muchos asociados, cantores, líderes de adoración y pastores han estado en la iglesia durante muchos años. Han tenido muchas experiencias y pueden contarte cómo era estar en el «Edén».

   EN EDÉN, en el huerto de Dios ESTUVISTE...

   Ezequiel 28:13

4. **Satanás fue uno de los arcángeles que estuvo presente cuando Dios creó la tierra.** Muchos asociados, cantores, líderes de adoración y pastores estuvieron ahí desde el mismo comienzo de la iglesia. Vieron el crecimiento de la iglesia. Vieron crecer al pastor y llegar a ser un

«hombre de Dios». Debido a que esta gente estuvo ahí desde el principio, piensan que son tan buenos como el líder. Quizá Lucifer pensaba que él era Dios porque estuvo presente cuando Dios puso los fundamentos de la tierra.

¿DÓNDE ESTABAS TÚ CUANDO YO FUNDABA LA TIERRA?

Házmelo saber, si tienes inteligencia.

¿Quién ordenó sus medidas, si lo sabes?

¿O quién extendió sobre ella cordel?

¿Sobre qué están fundadas sus bases?

¿O quién puso su piedra angular,

Cuando alababan todas las estrellas del alba,

Y SE REGOCIJABAN TODOS LOS HIJOS DE DIOS?

Job 38:4-7

5. **Alguna vez Satanás tuvo dones musicales. El don musical es un don especial.** ¡A la gente le encanta la música! ¡La gente elogia a músicos y cantantes! Lucifer tuvo el oficio músico. Cada vez que las personas te elogian y te admiran, olvidas que en realidad no eres nada. Recientemente conocí a un líder de adoración famoso que se dejó engañar pensando que era algo que no era. Cuando fue despedido de la plataforma que lo hizo famoso, se convirtió en una rama seca, y ya no pudo hacer nada por sí mismo. Ah, qué triste es para mí ver a músicos y cantores talentosos llegar a nada debido al engaño. Muchas personas que tienen dones musicales se han convertido en ramas marchitas, igual que Lucifer. La historia de Lucifer se ha repetido una y otra vez en las vidas de músicos cristianos.

En Edén, en el huerto de Dios estuviste; de toda piedra preciosa era tu vestidura; de cornerina, topacio, jaspe, crisólito, berilo y ónice; de zafiro, carbunclo, esmeralda

16

y oro; los primores de tus tamboriles y flautas estuvieron preparados para ti en el día de tu creación.

Tú, querubín grande, protector, yo te puse en el santo monte de Dios, allí estuviste; en medio de las piedras de fuego te paseabas.

Perfecto eras en todos tus caminos desde el día que fuiste creado, hasta que se halló en ti maldad.

Ezequiel 28:13-15

6. **Alguna vez Satanás caminó en los altos niveles de fuego y poder.** Muchos asociados, cantores, líderes de adoración y pastores han vivido en poder y autoridad.

Tú, querubín grande, protector, yo te puse EN EL SANTO MONTE DE DIOS, allí estuviste; EN MEDIO DE LAS PIEDRAS DE FUEGO TE PASEABAS.

Ezequiel 28:14

7. **Alguna vez Satanás fue ungido.** Muchos asociados, cantores, líderes de adoración y pastores están genuinamente ungidos por Dios. La mayoría de mis asociados, pastores y músicos están genuinamente ungidos.

Tú, QUERUBÍN GRANDE, PROTECTOR, YO TE PUSE en el santo monte de Dios, allí estuviste; en medio de las piedras de fuego te paseabas.

Ezequiel 28:14

8. **Alguna vez Satanás fue hermoso y atractivo.** Muchos asociados, cantores, líderes de adoración y pastores son atractivos. Descubrirás que la congregación se verá atraída a ellos. Descubrirás que a los de la congregación les agradan y estarán hablando con ellos frecuentemente. Los asociados, asistentes y pastores reconocerán fácilmente que son agradables a la congregación. Esta

atracción natural es la que alimenta el engaño de que eres ¡lo que no eres!

Se enalteció tu corazón a causa de TU HERMOSURA, corrompiste tu sabiduría a causa de tu esplendor; yo te arrojaré por tierra; delante de los reyes te pondré para que miren en ti.

Ezequiel 28:17

9. **Alguna vez Satanás fue una persona brillante y esplendorosa.** Muchos asociados, cantores, líderes de adoración y pastores son estrellas que brillan. Pueden verse a sí mismos brillar en el escenario. Atraen la atención y disfrutan los reflectores. Pero los reflectores pueden ser peligrosos para los que no fueron instruidos en la humildad y la realidad.

Se enalteció tu corazón a causa de tu hermosura, corrompiste tu sabiduría a causa de TU ESPLENDOR; yo te arrojaré por tierra; delante de los reyes te pondré para que miren en ti.

Ezequiel 28:17

10. **Alguna vez Satanás fue llamado hijo.** Muchos asociados, cantores, líderes de adoración y pastores son verdaderos hijos del ministerio. Por eso la deslealtad, ruptura y separación de asociados, cantores y líderes de adoración causa tanto sufrimiento en la iglesia.

¡Cómo caíste del cielo, oh LUCERO, HIJO DE LA MAÑANA!

Isaías 14:12

11. **Alguna vez Satanás fue perfecto. Muchos asociados, cantores, líderes de adoración y pastores son caballeros perfectos.** Muchos asociados, cantores, líderes de adoración y pastores son ministros del evangelio perfectos. Muchos asociados, cantores, líderes de adoración y pastores son maridos perfectos.

PERFECTO ERAS en todos tus caminos desde el día que fuiste creado, hasta que se halló en ti maldad.

Ezequiel 28:15

CAPÍTULO 4

Los pecados y la caída de Lucifer

Y vio Dios todo lo que había hecho, y he aquí que era bueno en gran manera. ...

Génesis 1:31

Dios creó cosas buenas! Dios vio todo lo que había hecho, y supo que era bueno! Entonces, ¿cómo llegó a existir una criatura tan cruel y malvada como Satanás? ¿De dónde sale toda la maldad de nuestro mundo? ¿De dónde salen todos los espantosos asesinatos, torturas y tristes acontecimientos que hay en nuestro mundo? ¿De dónde salen los monstruos que hay en nuestro mundo? ¿De donde salen todos los demonios y espíritus malignos que hay en nuestro mundo? ¿Qué inspira a los hombres a hacer tanta maldad?

Pues bien, hay hechos claros que condujeron a la existencia de Satanás como hoy lo conocemos. La Biblia nos deja entrever la creación del mundo de maldad. Hay siete pasos claros que han conducido a la existencia de ángeles caídos. El cometido de Dios no era crear el mal. Dios vio todo lo que había creado, y supo que era bueno. ¡Dios creó cosas buenas! ¡Dios creó cosas muy buenas! Sin embargo, de alguna manera, la maldad también empezó a existir. Recorramos ahora los pasos que condujeron a la existencia de Satanás.

1.   La creación de ángeles con libre albedrío:

Los ángeles son espíritus buenos creados por el Señor. La Biblia claramente nos enseña que Dios hizo a los ángeles en el cielo. «Porque en él fueron creadas todas las cosas, las que hay en los cielos y las que hay en la tierra, visibles e invisibles; sean tronos, sean dominios, sean principados, sean potestades; todo fue creado por medio de él y para él» (Colosenses 1:16). Una cualidad especial pero importante que los ángeles poseen, es su libre albedrío. Este libre albedrío es la cualidad importante que permitiría a los ángeles obedecer o desobedecer a Dios si ellos así lo querían. La mayoría de nosotros piensa que los ángeles no tienen elección respecto a si quieren servir a Dios o no. ¡Pero la tienen! Dios les dio libre albedrío. Y por eso algunos de ellos pudieron rebelarse.

2. La creación de arcángeles:

El segundo paso que condujo a la existencia de espíritus malignos es el establecimiento de ángeles superiores en la comunidad de los ángeles. La Biblia hace mención de tres de estos arcángeles o ángeles principales.

A Miguel se le menciona específicamente como arcángel.

«Pero cuando el arcángel Miguel contendía con el diablo, disputando con él por el cuerpo de Moisés, no se atrevió a proferir juicio de maldición contra él, sino que dijo: El Señor te reprenda» (Judas 1:9).

A Miguel también se le menciona como príncipe importante.

«Mas el príncipe del reino de Persia se me opuso durante veintiún días; pero he aquí Miguel, uno de los principales príncipes, vino para ayudarme, y quedé allí con los reyes de Persia» (Daniel 10:13).

Otro ángel prominente que se menciona es el ángel Gabriel, quien fue enviado a María para anunciar el nacimiento de Jesús, y también fue enviado a Zacarías para anunciar el nacimiento de Juan el Bautista.

Al sexto mes el ángel Gabriel fue enviado por Dios a una ciudad de Galilea, llamada Nazaret, a una virgen desposada con un varón que se llamaba José, de la casa de David; y el nombre de la virgen era María.

Lucas 1:26-27

Y se le apareció un ángel del Señor puesto en pie a la derecha del altar del incienso. Y se turbó Zacarías al verle, y le sobrecogió temor. Pero el ángel le dijo: Zacarías, no temas; porque tu oración ha sido oída, y tu mujer Elisabet te dará a luz un hijo, y llamarás su nombre Juan». […]

«Dijo Zacarías al ángel: ¿En qué conoceré esto? Porque yo soy viejo, y mi mujer es de edad avanzada. Respondiendo el ángel, le dijo: Yo soy Gabriel, que estoy delante de Dios; y he sido enviado a hablarte, y darte estas buenas nuevas».

Lucas 1:11-13, 18-19

El otro ángel prominente mencionado en la Biblia es Lucifer. Cuando él era un ángel bueno, se llamaba «querubín grande», quien se paseaba en el santo monte de Dios.

Tú, querubín grande, protector, yo te puse en el santo monte de Dios, allí estuviste; en medio de las piedras de fuego te paseabas.

Ezequiel 28:14

Estos pasajes nos dan la impresión de que solo hay tres arcángeles, pero probablemente hay varios arcángeles más.

Como tú sabes, la Biblia menciona «un ejército de ángeles» y «miles de ángeles». Hay millones de ángeles a nuestro alrededor. Efectivamente, otros manuscritos, como el libro de Enoc, describen a otros ángeles superiores y les dan nombres como Rafael, Uriel, Raguel, Remiel y Sariel. Recuerda que el arcángel Miguel solo fue uno de los varios príncipes importantes.

3. **El orgullo, la independencia y el separatismo de un arcángel.**

El tercer paso que condujo a la existencia de Satanás y de los espíritus malignos es el incremento del orgullo e independencia de uno de los arcángeles principales.

La maldad del *separatismo, independencia y orgullo* entró al corazón de uno de los ángeles principales que había sido creado con pureza e inocencia.

Observa cómo una visión independiente se desarrolló en el corazón de Lucifer cuando dijo: «Subiré, y seré semejante al Altísimo».

«¡Cómo caíste del cielo, oh Lucero, hijo de la mañana! Cortado fuiste por tierra, tú que debilitabas a las naciones. Tú que decías en tu corazón: Subiré al cielo; en lo alto, junto a las estrellas de Dios, *levantaré* mi trono, y en el monte del testimonio me *sentaré*, a los lados del norte; sobre las alturas de las nubes *subiré*, y *seré semejante* al Altísimo. Mas tú derribado eres hasta el Seol, a los lados del abismo» (Isaías 14:12-15).

El discurso de Satanás estaba lleno de: «Haré», «Seré», «Levantaré» «Subiré». No fue: «Haremos», «Seremos», «Nos levantaremos». Él había desarrollado una agenda independiente y separada. Quería abrirse camino de manera independiente y llegar a ser alguien. Sentía que no necesitaba a Dios. Se sentía independiente. No quería a Dios. Sentía como que estaba por su cuenta. ¡Quería ser como Dios! De hecho, quería suplantar a Dios si fuera posible.

¡Ten cuidado de tratar de apartarte y ser independiente! Esto es un rasgo satánico y es lo que ha traído toda la maldad que tenemos en nuestro mundo actual. ¡Trata de permanecer unido! ¡Combate la tendencia a estar solo! El deseo de apartarte viene de Lucifer.

Ten cuidado cuando experimentes la urgencia de separarte de tu comunidad y de tu familia.

4. El rechazo de los ángeles leales hacia el arcángel independiente.

Aparentemente, esta actitud independiente, arrogante y separatista del arcángel principal no fue bien recibida por muchos otros ángeles. La mayoría de los ángeles rechazó las ideas de Lucifer de separarse y volverse independientes. Varios ángeles se ofendieron por las ideas arrogantes de Lucifer. Sin embargo, algunos ángeles se dejaron engañar, y verdaderamente pensaron que las ideas de Lucifer de separarse y ser independientes funcionarían.

A lo largo de la Biblia, encuentras que estallan varios conflictos entre ángeles buenos y ángeles malos. Los ángeles independientes, desleales, arrogantes y separatistas fueron rechazados por otros ángeles leales. A los ángeles leales no les impresionaron las ideas separatistas, y no tenían ninguna intención de seguirlas. Esto provocó un conflicto entre ángeles buenos y ángeles malos. Ahora había una guerra en la familia de los ángeles. Ángeles que durante miles de años habían sido hermanos y amigos de la familia se vieron forzados a convertirse en enemigos mutuos.

El cielo pacífico se convirtió en un lugar de conflicto. Los ángeles no estuvieron de acuerdo con las ideas de separación del arcángel independiente. Los ángeles se involucraron en luchas a su nivel sin la interferencia personal de Dios. Parece que Dios les permitió pelear para resolver el conflicto. Dios espera que tú pelees por lo que es justo, y no que simplemente te quedes sentado permitiendo que la maldad y el separatismo prosperen.

Algunos ángeles pelearon por el honor de Dios, mientras que los ángeles independientes, malvados, llenos de arrogancia, descontentos y desleales peleaban para forjarse una existencia aparte.

Toda iglesia tiene gente que busca una agenda separada e independiente. Estos son los separatistas que siguen el patrón satánico. Dios espera que los ángeles buenos y las personas leales peleen contra los separatistas de manera temeraria.

No te sientas apabullado por tener que pelear contra las personas desleales. Siempre tendrás que pelear contra las personas desleales. No estés triste cuando tengas que pelear contra tus propios hermanos por el honor de Dios. Es una decisión que tienes que tomar. Antes de la rebelión, Miguel, Lucifer y Gabriel eran buenos amigos y hermanos. Es triste tener que pelear contra tu propio hermano. Miguel y Gabriel tuvieron que decidir apartarse de su antiguo amigo y hermano, Lucifer.

Gracias a Dios, Miguel y Gabriel eligieron oponerse a su hermano Lucifer. No creo que para Gabriel y Miguel fuera fácil tomar esa decisión. ¡Pero tomaron una buena decisión! ¡Eligieron apoyar a la autoridad superior! ¡Rechazaron las ideas de Lucifer! Le señalaron que estaba cometiendo un error. Le pidieron a Lucifer que se arrepintiera y que dejara de hablar esas palabras pretensiosas y arrogantes. ¡Seguramente Lucifer se sorprendió ante la actitud de Gabriel! ¿Quizá pensó que el arcángel menor se solidarizaría con su visión. Quizá Lucifer pensó que Gabriel seguiría su liderazgo por ser el querubín ungido que se paseaba en medio de las piedras de fuego en el santo monte de Dios.

Sin embargo, Gabriel no se dejó engañar y Miguel fue categórico respecto a que Lucifer se había vuelto loco. Miguel y Gabriel probablemente tuvieron varias reuniones con Lucifer para resolver la crisis. Probablemente le hablaron a Lucifer de la sabiduría de Dios, pero él era demasiado orgulloso para escucharlos.

Probablemente Lucifer dijo a Gabriel y Miguel: «Muchachos, ustedes no saben mucho. Yo he estado aquí desde el principio. He pasado por muchas cosas. Me he paseado en el monte santo durante mil años. ¡Aquí no hay futuro! ¡Aquí nunca puedes ser promovido! ¡Nunca puedes estar por encima de los que estuvieron aquí antes que tú! ¡En este sistema se promueve solo a una persona!

Es este tipo de palabras lo que originó la primera ruptura y rebelión. Es este tipo de palabras lo que arruina a las iglesias. Es este tipo de oratoria lo que engendra confusión en la iglesia. Es esta actitud separatista lo que Satanás busca impartir a los hombres, haciéndolos independientes, propensos al conflicto y separatistas. Es esta actitud negativa e independiente de Lucifer lo que llevó todos los conflictos, riñas y divisiones a un cielo pacífico.

Es bueno que Miguel no haya apoyado la palabrería de Lucifer. Los asistentes leales no deben tolerar este tipo de basura. No permitas que las personas destruyan el honor de Dios. No permitas que las personas desleales desintegren la iglesia.

¡Pelear contra las personas desleales es algo bueno! Nunca retrocedas ante un buen pleito contra la maldad de la deslealtad. Un rasgo bueno y angelical es pelear contra las personas que quieran destruir la paz, y dividir a la familia y a la iglesia. Pelea contra la deslealtad con todo tu corazón. No des un paso atrás ante la confrontación abierta contra la maldad. ¡Jesús está edificando Su iglesia! ¡Debes pelear contra todos los que están acabando con ella! ¡No trates de ser más amable o mejor que los ángeles buenos del cielo!

Efectivamente, hay varias luchas bien documentadas entre ángeles buenos y ángeles separatistas malos.

La Biblia registra un conflicto bélico generalizado entre ángeles leales y ángeles rebeldes independientes. Este conflicto bélico generalizado fue entre Miguel y los ángeles bajo su mando, y el dragón y sus ángeles (Batalla Angélica 1).

Después hubo una gran batalla en el cielo: Miguel y sus ángeles luchaban contra el dragón; y luchaban el dragón y sus ángeles;

Apocalipsis 12:7

Hubo otra batalla registrada entre Miguel y un ser al que llaman príncipe de Persia (Batalla Angélica 2).

Mas el príncipe del reino de Persia se me opuso durante veintiún días; pero he aquí Miguel, uno de los principales príncipes, vino para ayudarme, y quedé allí con los reyes de Persia.

Daniel 10:13

También hay registrada una confrontación entre Miguel y Satanás por el cuerpo de Moisés (Batalla Angélica 3).

Pero cuando el arcángel Miguel contendía con el diablo, disputando con él por el cuerpo de Moisés, no se atrevió a proferir juicio de maldición contra él, sino que dijo: El Señor te reprenda.

Judas 1:9

5. **La derrota y lanzamiento de los ángeles independientes y rebeldes por medio de los ángeles leales.**

La Biblia registra la derrota del dragón y sus ángeles por medio de los ángeles buenos.

«Y fue lanzado fuera el gran dragón, la serpiente antigua, que se llama diablo y Satanás, el cual engaña al mundo entero; fue arrojado a la tierra, y sus ángeles fueron arrojados con él». (Apocalipsis 12:9).

Después de que los ángeles buenos derrotaron a Lucifer y a sus seguidores, quedó claro que ellos ya no serían bienvenidos en el cielo. Los ángeles malos eran tan malos ¡que tendrían que ser despedidos! Efectivamente, las puertas y ventanas del cielo se abrieron y Lucifer fue arrojado a la tierra.

Las personas que desarrollan un espíritu independiente y una actitud separatista, pierden su posición y lugar en la iglesia. Estos ángeles sufrieron terriblemente por el error de tratar de separarse de Dios. En lugar de tratar de separarte, descubre cómo acercarte más a Dios y a Su iglesia, y cómo permanecer conectado con ellos. Siempre recuerda la Escritura en Judas 19: «Estos son los que causan divisiones ; los sensuales, que no tienen al Espíritu».

Satanás quiere apartarte. Asegúrate de que no tenga éxito en convertirte en uno de los ángeles separatistas y caídos. ¡No te permitas imitar las mentes torcidas de pastores descontentos y rebeldes!

6. **La transformación de Lucifer: de un querubín ungido a un dragón.**

Tras la caída de Lucifer, su naturaleza exterior fue transformada en un feo dragón. Una terrible oscuridad y fealdad degenerativa vino a su encuentro, y se convirtió en dragón. Sabemos que este feo dragón originalmente fue un ángel hermoso porque la Biblia lo dice. Es asombroso cómo el pecado puede convertir a una persona hermosa en la más fea y oscura criatura. «Y fue lanzado fuera el gran dragón, la serpiente antigua, que se llama diablo y

Satanás, el cual engaña al mundo entero; fue arrojado a la tierra, y sus ángeles fueron arrojados con él» (Apocalipsis 12:9).

Ahora Satanás es esta criatura contorsionada y torcida, sin hogar y sin un lugar dónde descansar, la cual se ve forzada a andar en la tierra sin rumbo fijo, muy por debajo de su gloriosa posición original. Deberías ver el estado caído de algunos pastores asociados que dejaron su cargo. Sus vidas condenadas solo pueden describirse como oscuras, distorsionadas y desafortunadas.

El destierro de Satanás en la tierra fue un paso hacia su encierro permanente en el infierno. A muchos criminales los llevan de prisión a prisión, mientras cumplen sus sentencia. Igualmente, Lucifer se está desplazando de prisión en prisión mientras cumple su sentencia por rebelión.

7. El merodeo que el dragón desplazado y sus ángeles caídos realizan en la tierra.

Con el destierro desde el cielo, el dragón y sus ángeles se convirtieron en seres desterrados y sin hogar que andan en la tierra sin rumbo fijo. Estos seres con sus líderes son los que en la actualidad son conocidos como Satanás y los príncipes del inframundo. En el libro de Daniel, a los poderes malignos que pelearon contra Miguel los llaman príncipes. Son príncipes porque probablemente antes de su caída fueron ángeles poderosos o principales. Como dijimos anteriormente, hay miles y miles de ángeles. Desgraciadamente, la rebelión desorientó a una sección de ángeles de rangos menores así como de superiores.

«Mas el príncipe del reino de Persia se me opuso durante veintiún días; pero he aquí Miguel, uno de los principales príncipes, vino para ayudarme, y quedé allí con los reyes de Persia» (Daniel 10:13).

En el Nuevo Testamento se nos dice que los príncipes de este mundo querían crucificar a Jesucristo, y de hecho siguieron con sus planes para llevar esto a cabo. Los príncipes de este mundo son los arcángeles y ángeles principales caídos, los cuales ejercen autoridad sobre los espíritus malignos del mundo de oscuridad.

«Sin embargo, hablamos sabiduría entre los que han alcanzado madurez; y sabiduría, no de este mundo, ni de los príncipes de este mundo, que van desapareciendo, sino que hablamos sabiduría de Dios en misterio, la sabiduría oculta, la cual Dios predestinó antes de los siglos para nuestra gloria, la que ninguno de los príncipes de este mundo conoció; porque si la hubieran conocido, no habrían crucificado al Señor de la gloria» (1 Corintios 2:6-8 RVR 1977).

Jesucristo ha sido levantado por encima de todas esas autoridades y ángeles caídos. A Él le ha sido dado poder y dominio sobre todas las criaturas malvadas, dondequiera que se encuentren.

...la cual operó en Cristo, resucitándole de los muertos y sentándole a su diestra en los lugares celestiales, sobre todo principado y autoridad y poder y señorío, y sobre todo nombre que se nombra, no sólo en este siglo, sino también en el venidero;

Efesios 1:20-21

CAPÍTULO 5

Los pecados y la caída de los príncipes de Lucifer

Después hubo una gran batalla en el cielo: Miguel y sus ángeles luchaban contra el dragón; y LUCHABAN EL DRAGÓN Y SUS ÁNGELES; pero no prevalecieron, ni se halló ya lugar para ellos en el cielo. Y fue lanzado fuera el gran dragón, la serpiente antigua, que se llama diablo y Satanás, el cual engaña al mundo entero; fue arrojado a la tierra, Y SUS ÁNGELES FUERON ARROJADOS CON ÉL.

Apocalipsis 12:7-9

Es obvio, partiendo de las numerosas referencias en la Biblia, que aparte de Satanás, hay otras creaturas que existen en el mundo invisible. Estas creaturas son importantes para nosotros porque son igualmente malvadas, y se menciona que se nos oponen, pelean contra nosotros y les ocasionan problemas a los seres humanos.

Jesucristo vino al mundo para derrotar y destruir al diablo y a sus ángeles caídos.

El término «Satanás» se refiere a diabolos y al diablo, esa serpiente antigua que engaño a Adán y a Eva, y entró al mundo de los seres humanos.

La frase «príncipes de este siglo» se refiere a los ángeles caídos que siguieron al diablo en su rebelión y fueron lanzados desde el cielo.

Pasos que llevaron a la creación de los príncipes caídos de este mundo

1. **Lucifer es creado y es puesto en el cielo como un ángel principal y superior.** Dios le dio su estatus superior. Esta Escritura es muy clara al respecto.

    Tú, querubín grande, protector, yo TE PUSE EN EL SANTO MONTE DE DIOS, allí estuviste; en medio de las piedras de fuego te paseabas. Perfecto eras en todos tus caminos desde el día que FUISTE CREADO, hasta que se halló en ti maldad.

    Ezequiel 28:14-15

2. **Lucifer es creado con libre albedrío y tiene que elegir entre servir a Dios o rebelarse.** Lucifer eligió ser un rebelde y se convirtió en un arcángel caído.

    Vosotros sois de vuestro padre el diablo, y los deseos de vuestro padre queréis hacer. El ha sido homicida desde el principio, y NO HA PERMANECIDO EN LA

VERDAD, porque no hay verdad en él. Cuando habla mentira, de suyo habla; porque es mentiroso, y padre de mentira.

Juan 8:44

Lucifer no continuó viviendo en la verdad. No permaneció en la verdad. Tenía que elegir entre permanecer en la verdad o alejarse de la verdad. Eligió no permanecer en la verdad. Estaba demasiado lleno de autoengaño, y en la actualidad es el padre de todos los engaños. Lucifer creía que podía rebelarse exitosamente contra Dios mismo. Creyó tanto en esa mentira que verdaderamente se lanzó en contra de su Creador.

3. **Otros ángeles se convirtieron en ángeles caídos:** Esto sucedió después de que Lucifer inspiró a otros ángeles a rebelarse contra su Creador. Los otros ángeles se dejaron engañar para levantarse en rebelión junto con Lucifer.

    Algunos ángeles principales también creyeron la mentira, y siguieron a Satanás en la rebelión. Esta rebelión encabezó a un grupo de arcángeles caídos y de ángeles comunes caídos. Satanás es el padre de la maldad y de todos los ángeles caídos. Los ángeles caídos se inspiraron en Satanás. Satanás es el jefe de los ángeles caídos, y se le conoce como la serpiente antigua, el dragón, el acusador de los hermanos y el príncipe de este mundo.

    Satanás tiene muchos títulos porque hay muchas cosas malas que él ha originado. En la actualidad, Satanás es el líder de los muchos ángeles caídos que él inspiró. Hoy en día, Satanás es el líder de todos los príncipes rebeldes, independientes, malagradecidos descontentos, separatistas y desleales que han caído.

...Satanás, el cual engaña al mundo entero; fue arrojado a la tierra, Y SUS ÁNGELES FUERON ARROJADOS CON ÉL.

Apocalipsis 12:9

4. **Lucifer se convirtió en el príncipe de este mundo cuando engañó a Adán y Eva para que se confiaran a él.**

Al diablo, *diabolos*, también se le llama príncipe de este mundo. ¿Por qué se llama el príncipe de este mundo? ¿Fue creado como príncipe de nuestro mundo? ¡No, de ninguna manera! ¡Satanás entró al mundo de los seres humanos a través del engaño y la superchería! Adán y Eva creyeron el engaño y se confiaron al liderazgo de Lucifer. Lucifer, el ángel caído ganó control sobre el mundo humano porque Adán y Eva lo siguieron y se convirtieron en sus súbditos.

Pero la serpiente era astuta, más que todos los animales del campo que Jehová Dios había hecho; la cual dijo a la mujer: ¿Conque Dios os ha dicho: No comáis de todo árbol del huerto?

Génesis 3:1

Gradualmente, Satanás ha destruido y pervertido el mundo de los humanos. La raza humana ahora está completamente destruida a causa de la influencia de Satanás sobre la humanidad. El diablo, *diabolos*, le ofreció a Jesús los reinos de este mundo porque él es el príncipe malvado que domina este mundo.

El hombre se ha vuelto malo, pervertido y pecador. Los caminos del hombre están constantemente dirigidos hacia la auto-destrucción. «…también que el corazón de los hijos de los hombres está lleno de mal y de insensatez en su corazón durante su vida; y después de esto se van a los muertos» (Eclesiastés 9:3). El príncipe de este mundo es el que causa este estado desafortunado de los seres vivos.

Cuando Dios envió a Su Hijo a este mundo para salvar a la humanidad de pecado y maldad, inmediatamente Satanás lo reconoció y se opuso a Su presencia sobre la tierra. Satanás organizó a los hombres malvados de esta tierra para crucificar a un predicador amoroso que no tenía pecado. A Jesús lo crucificaron hombres religiosos que de hecho estaban bajo la influencia de Satanás. Hablando de Su crucifixión, Jesús dijo a Sus discípulos: «...viene el príncipe de este mundo, y él nada tiene en mí (Juan 14:30). También dijo: «...ahora el príncipe de este mundo será echado fuera» (Juan 12:31). En los versículos anteriores, puedes ver que los ángeles y príncipes caídos están muy activos acarreando maldad al mundo actual.

5. **Otros ángeles caídos rápidamente tomaron posiciones en diferentes partes del mundo y se convirtieron en príncipes de este mundo.**

Porque no tenemos lucha contra sangre y carne, sino contra PRINCIPADOS, contra potestades, contra los gobernadores de las tinieblas de este siglo, contra huestes espirituales de maldad en las regiones celestes.

Efesios 6:12

A Lucifer lo llaman *príncipe* de este mundo, y sus ángeles caídos se llaman *príncipes* de este mundo. El título «príncipe de este mundo» viene de la palabra griega «ARCHON» que significa comandante, gobernante o líder principal. Esta es la misma palabra que se traduce como «principados». No luchamos contra carne y sangre sino contra «ARCHON». Esto significa que luchamos contra comandantes y gobernantes. ¿Quiénes son estos comandantes y gobernantes? ¿Quién les dio poder y qué gobiernan?

Estos comandantes son ángeles principales caídos que están asociados con Lucifer. En las Escrituras es evidente que hay un grupo de ángeles comandantes que están afectando las actividades de este mundo. Observa: «Sin embargo, hablamos sabiduría entre los que han alcanzado madurez; y sabiduría, no de este mundo, ni de los PRÍNCIPES DE ESTE MUNDO, que van desapareciendo» (1 Corintios 2:6 RVR 1977).

Asimismo, el príncipe de este mundo siempre está asociado con otros príncipes de este mundo. Observa que de la crucifixión de Jesucristo se culpa a un grupo de entidades llamadas los «príncipes de este mundo».

«...la que ninguno de los PRÍNCIPES DE ESTE MUNDO conoció; porque si la hubieran conocido, no habrían crucificado al Señor de la gloria» (1 Corintios 2:8).

Jesucristo fue crucificado por las acciones y actividades de los príncipes de este mundo, los cuales son los arcángeles caídos. A Jesucristo lo mataron los príncipes de este mundo que estaban actuando a través de los fariseos.

Estos arcángeles caídos no tienen toda la sabiduría. Si la tuvieran, no habrían crucificado al Señor de toda la gloria. Por medio de la crucifixión de Jesucristo y del derramamiento de Su sangre, los príncipes de este mundo han sido verdaderamente destruidos. Estos arcángeles habrían evitado la crucifixión de Cristo, si supieran lo que significaba.

CAPÍTULO 6

Los pecados de un diablo: Conflicto Con La Autoridad

FTú que decías en tu corazón: SUBIRÉ AL CIELO; en lo alto, junto a las estrellas de Dios, levantaré mi trono, y en el monte del testimonio me sentaré, a los lados del norte; sobre las alturas de las nubes subiré, y seré semejante al Altísimo.

Isaías 14:13-14

«¡Uno de vosotros es diablo!».
¿Cómo puedes saber cuando alguien es diablo?

Cuando alguien es diablo, se comporta igual que el diablo y se levanta contra la autoridad tal y como lo hizo el diablo.

Lucifer estuvo en el cielo y tuvo conflictos con Dios aunque Dios nunca le hizo nada. Las personas que constantemente tienen conflictos con sus superiores son inspiradas por Satanás. Es muy mala señal cuando las personas constantemente tienen conflictos con sus superiores, supervisores e inspectores. Pon mucha atención a esta señal y te ayudará a saber cuando alguien se ha convertido en diablo.

Satanás es el gran inspirador de todos los que pelean contra la autoridad. Recuerdo a un pastor que fue transferido de una iglesia a otra en distintos momentos de su vida. Cada una de esas veces yo decía en mis adentros: «Nuestro hermano va a dar fruto en esta nueva ubicación». Pero eso no sucedía. En cada ubicación a la que iba, tenía problemas con el inspector.

No acataba las instrucciones. No contestaba las llamadas. En las juntas, provocaba discusiones prolongadas por asuntos menores. Se oponía a las ideas que surgían. No asistía a ciertas juntas. Sin duda, este patrón de conflictos con la autoridad era una mala señal. Con el tiempo, se volvió un rebelde en toda la extensión de la palabra, y empezó a insultar y a acusar a los obispos de la iglesia. Finalmente fue despedido. Dije para mis adentros: «Esta persona ha estado mostrando señales de la presencia de Satanás en su vida durante muchos años».

Lo creas o no, Satanás tenía grandes conflictos con Dios mismo. Satanás hasta intentó desplazar a Dios de Su lugar de autoridad. Satanás trató de ascender al trono de Dios. Las personas que están bajo la influencia de Satanás tienen estas mismas características; tienen conflictos con los de más categoría.

Tratan de ascender desde sus lugares y retan a las autoridades puestas por mandato divino. Satanás fue el primero en retar líderes, y esta ha sido la práctica de todos sus seguidores.

¡Ten cuidado con los que constantemente tienen problemas con sus padres, con líderes y con autoridades! ¡Ten cuidado con las personas a las que no les gusta que les digan qué hacer! ¡Ten cuidado con los que no pueden soportar que los guíen o aconsejen! ¡Ten cuidado con los que reaccionan con enojo ante una corrección!

¡Ten cuidado con los que se ponen de mal humor después de que se les dan órdenes! ¡Ten cuidado con aquellos a quienes no les agradan sus padres». ¡Ten cuidado con aquellos a quienes no les agrada su madre! ¡Ten cuidado con las personas que insultan a personas mayores, a pastores principales y a otros hombres de autoridad!

¡Ten cuidado con las personas que no toleran a sus padres y los avergüenzan! ¡Ten cuidado con los que nunca se llevan bien con su padre, madre, pastores y otras autoridades! ¡Ten cuidado con los que siempre están teniendo algún conflicto con su jefe en el trabajo! ¡Ten cuidado con los que pueden gritarle a su madre!

CAPÍTULO 7

Los pecados de un diablo: Colegas Engañosos

Después hubo una gran batalla en el cielo: Miguel y sus ángeles luchaban contra el dragón; y luchaban el dragón y SUS ÁNGELES; pero no prevalecieron, ni se halló ya lugar para ellos en el cielo.

Y fue lanzado fuera el gran dragón, la serpiente antigua, que se llama diablo y Satanás, el cual engaña al mundo entero; fue arrojado a la tierra, y SUS ÁNGELES FUERON ARROJADOS CON ÉL.

Apocalipsis 12:7-9

«¡Uno de vosotros es diablo!».

¿Cómo puedes saber cuando alguien es diablo?

Cuando alguien es diablo, se comporta igual que el diablo e induce a sus colegas a error ¡tal y como lo hizo el diablo! Lucifer indujo a error a un gran número de ángeles para que se rebelaran contra su Creador. Indujo a error a ángeles principales que ahora son principados y espíritus malvados en regiones celestes.

Satanás ha impartido esta naturaleza a algunos hombres. Estos hombres a su vez se levantan e inducen a error a asociados, amigos y personas importantes para que se aparten del que les dio su nombramiento y los hizo ser quienes ahora son.

Satanás inspira a los pastores que inducen a error a pastores adjuntos. Lucifer, por medio de discursos razonables y argumentos convincentes, se llevó con él a ángeles conciudadanos a las tinieblas. Esto es lo que significa tener un diablo en tu iglesia. Alguien que vuelve el corazón de la gente contra el líder o el fundador ¡es un diablo viviente!

Una vez tuve un pastor que convenció a otros seis pastores y a todo el coro para seguirlo a fin de crear una iglesia disidente. Varias personas abandonaron mi iglesia, y la iglesia se debilitó severamente. Entonces experimenté lo que significa tener un diablo en mi iglesia. Cuando tienes un diablo en la iglesia, tienes un personaje como Lucifer, que convence a las personas para que se vuelvan en contra de su verdadero líder.

En otra ocasión, enviamos a un pastor con ocho familias para que comenzara una filial de nuestra iglesia en una ciudad de Europa. (Ocho familias es un número elevado de personas para una iglesia europea). Este pastor, igual que Lucifer, habló con las familias que yo le había confiado. Les explicó que yo era de Ghana y que no me interesaba mucho por las personas de su país. (Este pastor también era oriundo de un país de África Occidental de habla inglesa, cerca de Ghana). Les explicó que yo había edificado varias iglesias en Ghana, pero que no se había hecho mucho en el país natal de él. Después de meses de convencer en secreto a las personas importantes de la iglesia, renunció repentinamente. Cuando renunció, toda la congregación renunció con él, y lo siguieron a su iglesia nueva. Esa iglesia europea fue cerrada debido a las actividades de este individuo.

Recuerda que el diablo viene para hurtar, matar y destruir. Este hermano entró a mi vida y ministerio para hurtar, matar y destruir la iglesia que yo había fundado. ¡Él aniquiló toda la iglesia! Así sucede cuando tienes un diablo en la iglesia. Destruirá todo y te aniquilará.

Querido amigo, no es difícil ver que este tipo de personas andan en los mismísimos pecados de Lucifer, quien convenció a otros arcángeles y ángeles principales para que lo siguieran. Satanás es el gran inspirador de todas las facciones disidentes y rebeldes.

Recuerdo a un pastor que no se comunicaba de manera apropiada. Como todos los que no se comunican de manera apropiada, empezó a actuar como una serpiente silenciosa. Un día, se presentó y declaró su intención de separarse de la iglesia. Sin que yo me enterara, desde algún tiempo atrás, él había estado conspirando para hacer esto. Se fue con un equipo de tres pastores mayores que él.

Después de que renunciaron, empezaron a mofarse y a burlarse de mis enseñanzas sobre la lealtad. Algunos de ellos hasta escuchaban mis grabaciones y se reían de mí. Se reunían para escuchar una grabación en la que yo predicaba, y como un grupo de pájaros imitadores, se burlaban de mí y de mis mensajes.

Sin embargo, conforme pasó el tiempo, experimentaron aflicción tras aflicción hasta que uno de ellos experimentó una tragedia terrible. Después de esa tragedia, algunos de ellos regresaron para pedir oración y pedir perdón.

Satanás inspiró a sus ángeles colegas para que se volvieran en contra de su Creador. Los ángeles fueron inducidos a error, y cayeron en oscuridad y destrucción. Estos individuos que se mofaron de mí estaban igualmente devastados.

Cuando la influencia de Satanás se extendió en el cielo, varios de los ángeles fueron inducidos a error. Varios ángeles creyeron las mentiras que les contaron. Parece que los discursos mentirosos de Lucifer indujeron a error a millares y millares de ángeles. A estos ángeles desafortunados se les prometieron posiciones importantes de la misma manera que a Adán y Eva se les prometieron grandes cosas. Recuerda que a Adán y Eva se les prometió el estatus de dioses.

A estos ángeles desafortunados seguramente les prometieron muchas cosas si se unían a la rebelión. Así como los políticos de hoy prometen muchas cosas pero no tienen la capacidad para hacerlas, Satanás no pudo dar a los ángeles ninguna de las cosas que prometió.

Ser inducido a error por un mentiroso y ladrón, sin duda es algo muy doloroso. Satanás es el padre de todas las mentiras y engaños. ¿Hay algún líder de opinión peligroso que anda por ahí contaminando la mente de personas importantes? ¿Has puesto a un Lucifer a cargo de una iglesia, una comunidad o un comité? ¿Hay alguien en tu iglesia que se comporte exactamente como Lucifer? Puedes estar seguro de que volverán en tu contra la opinión de las personas. ¡Esto es lo que significa tener un diablo en tu iglesia! Cuídate de las personas que alejan del líder a los corazones de los miembros leales.

¡Ya es hora de obstaculizar al diablo! ¡Ya es hora de llamarle diablo al diablo! ¡Ya es hora de pelear contra nuestro enemigo!

CAPÍTULO 8

Los pecados de un diablo: Empezar Riñas Y Batallas

Después HUBO UNA GRAN BATALLA EN EL CIELO: Miguel y sus ángeles luchaban contra el dragón; y luchaban el dragón y sus ángeles;

Apocalipsis 12:7

«¡Uno de vosotros es diablo!».

¿Cómo puedes saber cuando alguien es diablo?

Cuando alguien es diablo, se comporta exactamente como el diablo y empieza riñas y batallas, ¡tal y como lo hizo el diablo!

Satanás fue el que introdujo guerras, confusión, riñas, disputas y conflictos en un lugar en el que había paz. El cielo gozaba de paz, armonía, amor y tranquilidad ¡hasta que Satanás introdujo confusión! ¿Puedes imaginarte *la guerra* en el cielo?

La conmoción provocada por la rebelión de Satanás fue un desafortunado disturbio de la paz del cielo. Fue una de las mayores faltas de respeto hacia el Creador del cielo y de la tierra. No me extraña que Satanás y sus ángeles fueran simplemente derribados desde el cielo para esperar un confinamiento inapelable en el lago de fuego.

Cuídate de las personas que disturban la paz en tu iglesia. Cuídate de la gente que cambia el ambiente de una familia feliz, provocando divisiones e infelicidad en un lugar donde solo había paz.

Hace algunos años, organicé una reunión especial para pastores y sus esposas. Esta reunión de compañerismo la tendríamos en mi casa los domingos después del culto en la iglesia. Un día, un pastor nuevo y su esposa se unieron a nuestra reunión de compañerismo. Disfrutábamos pasar tiempo juntos, y decidimos continuar teniendo estas reuniones cada semana.

Recuerdo con claridad el día en el que este pastor nuevo hizo un comentario sobre la reunión. Él dijo: «Ustedes están bendecidos porque pueden comer pollo todos los días». Prosiguió e hizo un comentario sobre las cosas que había visto en nuestro refrigerador. Aunque parecía broma, yo tomé nota de su comentario. Empecé a reconocer un espíritu de descontento y comparación que nunca antes habíamos experimentado.

¿Ves?, habíamos tenido esta reunión de compañerismo varios años antes de que este individuo apareciera. Todos nosotros estábamos felices de estar juntos y nadie comparaba lo que otra persona tenía en su refrigerador. Eso fue el inicio de descontento y conflictos. Con el tiempo, este pastor (el que dijo que no era tan afortunado de poder comer pollo todos los días) se convirtió en una fuente de gran confusión, conflictos y rebelión. ¡Esto es lo que significa tener un diablo entre ustedes! Un diablo es alguien que inicia riñas y confusión sobre nada.

¡Cuídate de las personas que convierten un compañerismo feliz en un centro de conflictos! ¡Cuídate de personas descontentas! Cuídate de las personas que no aprecian en dónde están y lo que tienen. En lugar de que este sujeto hubiera apreciado que era un invitado en mi casa, estuvo ocupado ¡analizando los artículos de mi refrigerador! ¡Cuídate del diablo!

Satanás no apreció la oportunidad que tuvo de estar en el cielo. Satanás no apreció la posición que se le había dado. Comenzó una rebelión e introdujo batallas y confusión en el cielo.

Todas las riñas, batallas y guerras son provocadas por espíritus de demonios que salen para hacer que las personas luchen unas contra otras. Observa el siguiente versículo. Los espíritus de demonios van a la tierra para reunir personas a la batalla.

...pues son ESPÍRITUS DE DEMONIOS, que hacen señales, y van a los reyes de la tierra en todo el mundo, PARA REUNIRLOS A LA BATALLA de aquel gran día del Dios Todopoderoso.

Apocalipsis 16:14

Las personas que no quieren terminar las riñas son las que se inspiran en Satanás. Hitler rehusaba terminar la Segunda Guerra Mundial, aun cuando era claro que había perdido. Esta fue una de las señales más claras de la influencia satánica sobre Hitler. ¡Él combatió de modo que absolutamente todo fuera destruido! Incluso quería que su propio pueblo, su propia nación y todos los edificios de su país fueran destruidos. ¡Asombroso! Esto es gran evidencia de la inspiración satánica de la Segunda

Guerra Mundial que provocó la muerte de cincuenta millones de personas.

Satanás es el gran inspirador de todas las guerras. El pecado de iniciar riñas y guerras es una de las actividades favoritas del diablo. Un estudio sobre la guerra revela lo insensato que la guerra a menudo es. En realidad, ninguna de las partes gana una guerra. Satanás es muy bueno para provocar a la gente para ir a la guerra. La historia de la humanidad es historia de guerras. Los canales de televisión que pretenden mostrar la historia, básicamente muestran una guerra tras otra. Satanás fue expulsado del cielo porque incitó a una guerra en un lugar que era pacífico. En el cielo nunca había habido nada parecido a una guerra. ¡Satanás lo empezó todo!

Hasta que hayas vivido en un país destruido por la guerra, no comprenderás la insensatez de la guerra. Una sola guerra destruye naciones enteras durante décadas. Satanás es el que inspira a las personas a hacer lo que conducirá a su propia destrucción.

En la actualidad, hay personas que acarrean guerras en lugares de paz. Familias pacíficas, iglesias pacíficas, hogares pacíficos se transforman en zonas de conflicto a causa de la presencia de hombres que andan en los pecados de Satanás. Cuídate de los pastores, líderes y trabajadores que acarrean riñas y conflictos en una comunidad muy pacífica.

¿De dónde vienen las riñas insensatas de nuestro mundo? ¿Cuál fue el resultado de la Primera Guerra Mundial? Muchos jóvenes estaban ansiosos por ir a la guerra porque tenían las falsas ilusiones de una gran conquista. Desgraciadamente, la Primera Guerra Mundial se hizo interminable, y se convirtió en un conflicto sin sentido, dando por resultado millones de muertes. ¿Cuál fue el resultado de la Segunda Guerra Mundial? La Segunda Guerra Mundial mató a más de cincuenta millones de personas y no logró nada. Cada país se quedó con sus fronteras antiguas. Ningún país ganó nada con la guerra.

El resultado de estas guerras mundiales revela cómo una mente maligna puede orquestar los conflictos de nuestro mundo.

La Escritura anterior describe que los espíritus de demonios vienen a reunir reyes de la tierra para la batalla. Los demonios son seres espirituales que vienen al mundo a incitar guerras. Todos los conflictos y riñas son provocados por Satanás.

¿De dónde vienen muchas riñas sin sentido? A veces, hay parejas encantadoras que encajan mutuamente, y sin embargo durante años tienen conflictos disparatados, absurdos e insensatos. Estas riñas insensatas dividen a la familia y destruyen su felicidad.

En ocasiones, las parejas se separan y viven en soledad por el resto de sus vidas cuando podrían haber sido felices juntos. Es casi imposible comprender cómo parejas que se ven tan hermosas el día de su boda pueden pelear tanto e incluso matarse entre ellos. La Escritura anterior revela claramente que el que origina estos conflictos terribles es el diablo.

Cuídate de las personas que inician conflictos y rehúsan dar marcha atrás. Hombres como Hitler, que intencionalmente iniciaron conflictos y guerras, y provocaron la muerte de millones de personas, fueron claramente inspirados por Satanás.

No te involucres en las batallas

Y vi salir de la boca del dragón, y de la boca de la bestia, y de la boca del falso profeta, tres espíritus inmundos a manera de ranas; pues son espíritus de demonios, que hacen señales, y van a los reyes de la tierra en todo el mundo, PARA REUNIRLOS A LA BATALLA de aquel gran día del Dios Todopoderoso.

Apocalipsis 16:13-14

Satanás desea involucrarte en batallas. Satanás desea que tengas conflictos con tu marido, tu esposa, tu pastor, tu amigo, tu familia, tu empleado y tu hijo. ¡No permitas que te adhieran a ninguna batalla! El diablo está dispuesto a adherirte a una batalla si cedes. Si no reconoces la coyuntura de las riñas como lo que en realidad son, el diablo te involucrará en muchas peleas tontas.

Cuando lidias con contenciones, riñas y conflictos, estás lidiando con el mismo Satanás. Cuando permites que las contenciones y riñas prosperen a tu alrededor, estás permitiendo que la actividad demoniaca prospere. Es un grave error permitir que te involucren en conflictos. Enfrenta al diablo tratando de manera apropiada cualquier cosa que te involucre en algún conflicto.

Dondequiera que hay conflictos, hay demonios

Las contiendas, las riñas y las guerras son demoniacas por naturaleza.

Pero si tenéis celos amargos y CONTENCIÓN en vuestro corazón, no os jactéis, ni mintáis contra la verdad; porque esta sabiduría no es la que desciende de lo alto, sino terrenal, animal, DIABÓLICA.

Santiago 3:14-15

Algunas personas tienen conflictos con sus líderes y son incapaces de mantener un ambiente pacífico y armonioso en su ministerio. Otros tienen conflictos en su matrimonio y son incapaces de tener un solo día de paz. Siempre hay una riña, un problema o alguna causa de infelicidad en la relación.

Los conflictos persistentes en tu vida revelan la presencia y actividad de criaturas demoniacas. Posiblemente nunca tengas una visión en la que verdaderamente veas al diablo sentado o parado en tu cuarto. Pero es el diablo el que reúne a las personas para las batallas.

Los demonios provocan conflictos entre marido y mujer

Conozco por lo menos a dos pastores diferentes que tenían conflictos con sus esposas y tuvieron visiones en las que la presencia de una criatura demoniaca quedó al descubierto. Esas visiones y revelaciones sobrenaturales ayudaron a los pastores a reconocer que la presencia de un espíritu maligno estaba orquestando sus conflictos maritales.

Cuando sabes que algo se está organizando en tu contra en el ámbito espiritual, no te permitas caer en esa trampa. Ambos ministros del evangelio inmediatamente dejaron de reñir con sus esposas y con empeño trataron de reconciliarse para no cumplir los deseos de estos demonios que habían reunido a marido y mujer para la batalla.

El diablo es el que reúne a diferentes bandos para pelear guerras necias y sin sentido. Debes estar alerta y consciente de la posibilidad de que te han reunido para tener una batalla o un conflicto sin sentido con alguien importante en tu vida.

La Segunda Guerra Mundial ocasionó la muerte de cincuenta millones de personas. Fue un conflicto sin sentido, y no se logró nada. Millones de vidas fueron destruidas pero nada se logró. La única explicación para estas peleas inútiles es que un espíritu demoniaco reunió ejércitos y los puso a pelear entre ellos. Por este motivo, tú debes enfrentar conflictos, riñas y contiendas lidiando con el mismo diablo. Dios te ha dado relaciones que debes conservar por el resto de tu vida. No permitas que el diablo haga pedazos las relaciones más importantes de tu vida.

CAPÍTULO 9

Los pecados de un diablo: Oponerse a Los Siervos De Dios

Sed sobrios, y velad; porque **VUESTRO ADVERSARIO EL DIABLO,** como león rugiente, anda alrededor buscando a quien devorar.

1 Pedro 5:8

«¡Uno de vosotros es diablo!».

¿Cómo puedes saber cuando alguien es diablo?

Cuando alguien es diablo, se comporta exactamente como el diablo y se opone a todo, ¡tal como lo hace el diablo! El diablo es el adversario. Ser un adversario es ser un oponente.

Cuando enfrentas oposición en el ministerio, estás enfrentando a Satanás. Cuando en tu iglesia das rienda suelta a oponentes, coartadores, obstructores, adversarios y personas negativas, estás permitiéndole al diablo sentirse libre en tu vida y ministerio.

Es un grave error que le permitas a alguien oponerse a ti constantemente. ¡Enfrenta al diablo enfrentando de manera apropiada la obstrucción, la oposición y las cosas que no te dejan avanzar!

Donde hay oposición hay un diablo

Satanás es un oponente. La palabra «adversario» significa oponente. Un oponente es alguien que te dificulta progresar, alguien que te detiene. Un adversario es alguien que hace que vayas con mucha más lentitud de la que debes. Por medio de un oponente, el diablo encuentra una plataforma de lanzamiento desde la cual puede impedir que avances.

Un adversario es alguien que te desvía del curso que tenías previsto. Si vives y trabajas con personas que refunfuñan y se quejan de ti, estás viviendo y trabajando en la presencia de demonios opositores.

Ungir significa empoderar e inspirar a una persona. Cuando Satanás empodere a alguien y lo inspire para oponerse a ti, batallarás para cumplir tus metas. Las personas que están ungidas por el diablo para oponerse a ti, generalmente son personas que tienen acceso a ti. Están en posiciones estratégicas, y sus acciones o su inacción hacen que la vida sea difícil para ti.

Un pastor asistente puede convertirse en la mayor oposición de tu vida y ministerio. Se necesita discernimiento y valentía para identificar lo que te está sucediendo. Tu esposa también puede convertirse en un diablo para ti. Se necesitará gracia, discernimiento y valentía para identificar a tu cónyuge como diablo. Se necesitará de mucha valentía para reprender a tu propia esposa como si estuvieras reprendiendo al diablo.

Jesús hizo exactamente eso cuando percibió que el adversario estaba hablando a través de Pedro. Pedro fue Su asistente más cercano y de más confianza. Esta es la posición que una esposa, un pastor asistente o un administrador clave ocupa. Pedro trató de obstaculizar a Jesús e impedir que fuera a la cruz. Pero Jesús inmediatamente lo hizo a un lado.

Pero él, volviéndose, dijo a Pedro: ¡QUÍTATE DE DELANTE DE MÍ, SATANÁS!; me eres tropiezo, porque no pones la mira en las cosas de Dios, sino en las de los hombres.

Mateo 16:23

Un día, un ministro del evangelio estaba en el edificio de su iglesia, dedicando tiempo a Dios. Era el pastor de una iglesia que no crecía. Esta es una iglesia que era conocida por tener conflictos, confusión y riñas. Una tarde, cuando el pastor iba de un lado a otro del salón vacío, volteó a ver el techo, y sencillamente parecía que desaparecía. Entre las vigas del techo estaba un diablillo. Los ojos del pastor habían sido abiertos, y estaba viendo el ámbito espiritual. Para asombro suyo, ahí estaba esa criatura que vivía en el techo del edificio de su iglesia. El pastor reprendió al demonio, y este cayó al suelo. Él le ordenó al espíritu maligno que saliera del edificio, y así lo hizo.

¿Y cuál fue el efecto de que este espíritu maligno fuera desalojado de las vigas del techo? Un año después, el ambiente maligno de la iglesia la confusión, la queja, los refunfuños, las riñas acabó, y la iglesia creció de manera considerable.

Como puedes ver, ese espíritu maligno se oponía a la paz y al crecimiento de la iglesia. La presencia de ese diablo era la que aseguraba que la visión del crecimiento de la iglesia no se cumpliera. Todo pastor debe ser sensible y perspicaz. Tú debes poder detectar la presencia y actividad de la oposición sutil que te frena. Cuando detectas oposición, en realidad estás detectando la presencia de espíritus demoniacos.

Aun si no tienes una visión fantástica como esta, *puedes saber que hay actividad demoniaca por la presencia de una persistente oposición, frustración y freno a tu visión.* Una oposición persistente a tu visión, a tus sueños y a tu llamado es señal de que hay poderes demoniacos liberados específicamente en tu contra.

Levántate ahora en el nombre de Jesús. Ha llegado el momento de exponer y dejar al descubierto al oponente invisible de tu vida y ministerio. Ha llegado el momento de anular, dominar y detener las actividades de espíritus oponentes.

¡Ordeno a todos los diablillos espirituales, a los simios espirituales y a otros bichos espirituales que salgan de tu hogar y de tu iglesia! ¡Tomo autoridad sobre todas las sabandijas espirituales y entes espirituales provenientes del mundo de tinieblas! ¡El día para que brilles ha llegado! Nunca más te detendrán. Tres meses después de leer estas páginas, ¡verás un cambio permanente en tu ministerio! ¡No hay duda de que a partir de hoy, nunca más te encontrarás en el mismo lugar!

CAPÍTULO 10

Los pecados de un diablo: Inducir a Las Masas a Error

Pero la serpiente era astuta, más que todos los animales del campo que Jehová Dios había hecho; la cual dijo a la mujer: ¿Conque Dios os ha dicho: No comáis de todo árbol del huerto? Y la mujer respondió a la serpiente: Del fruto de los árboles del huerto podemos comer; pero del fruto del árbol que está en medio del huerto dijo Dios: No comeréis de él, ni le tocaréis, para que no muráis.

ENTONCES LA SERPIENTE DIJO A LA MUJER: NO MORIRÉIS; [...]

Y dijo Jehová Dios: He aquí el hombre es como uno de nosotros, sabiendo el bien y el mal; ahora, pues, que no alargue su mano, y tome también del árbol de la vida, y coma, y viva para siempre. Y lo sacó Jehová del huerto del Edén, para que labrase la tierra de que fue tomado.

Génesis 3:1-4, 22-23

«¡Uno de vosotros es diablo!».

¿Cómo puedes saber cuando alguien es diablo?

Cuando alguien es diablo, se comporta exactamente como el diablo e induce a las masas a error, ¡tal y como lo hizo el diablo!

Hubo un pastor a quien pusieron a cargo de una iglesia durante ocho semanas. Fue puesto a cargo de esta iglesia porque el pastor principal tenía que viajar con su familia durante unas semanas.

Cuando el pastor principal regresó de su viaje a Europa, el pastor a cargo había decidido irse de la iglesia. El pastor principal estaba sorprendido por la decisión repentina de irse de la iglesia que este pastor tomó. A esas alturas, no sabía el impacto que estaba a punto de recibir.

Cuando el pastor renunció, se llevó con él a toda la iglesia. Al pastor principal lo dejó con veinte miembros mientras que tres mil miembros siguieron al pastor disidente. Este pastor había inspirado a tres mil miembros a dejar su iglesia local y a su pastor principal para que lo siguieran a él.

Satanás es el que induce a error a las masas. Por medio de discursos bonitos, palabras seductoras y palabras huecas, Satanás indujo a error a Adán y Eva, y destruyó al resto de la raza humana. El pecado de inducir a las masas a error es la actividad particular más destructiva del diablo. El mundo entero ha sido destruido por la oferta falsa de Satanás de obtener *ascenso, independencia e igualdad* con Dios.

En la actualidad, Satanás está haciendo esta misma oferta por medio de algunos pastores, políticos y líderes. ¡*Ascenso, independencia e igualdad*! ¡Esto suena realmente emocionante! Muy pocas personas pueden resistir discursos bonitos y palabras que suenan bien. Cuídate de las personas que andan en los mismísimos pecados de Satanás. Vienen y presentan estas tres ofertas (*ascenso, independencia e igualdad*) a cualquiera que sea ingenuo.

Cuando los pastores se están separando de las iglesias, seducen a los cristianos y a la iglesia principal con esta oferta: «¡Tendrás un ascenso! ¡Tendrás tu independencia! ¡Vas a ser igual que ellos! Vas a ser pastor en la iglesia nueva. Tendrás un ascenso. Estarás libre de las reglas y regulaciones de la iglesia vieja. Tendrás igualdad con la iglesia vieja». ¡Vaya oferta! *¡Ascenso, independencia e igualdad!*

Lucifer indujo a error a Adán y Eva, y destruyó a la raza humana. Satanás ofreció a Adán y Eva independencia, ascenso e igualdad con Dios.

Es fácil ver que la raza humana es una raza de seres destruidos. Todo el mundo está en una carrera hacia un desenlace catastrófico. Lo más probable es que nuestras armas nucleares pronto las utilicen unos contra otros. ¿Quién introdujo toda la maldad que tenemos en este mundo? ¿Dios creó el mundo así? ¡No!

Cuando una serpiente muerde a un hombre, él puede pender de la balanza entre la vida y la muerte durante varias semanas. Efectivamente, cuando una serpiente muerde a una persona, esta puede entrar en un estado que amenace su vida, y puede necesitar cuidado intensivo. Cuando Satanás «*muerde*» a una iglesia, toda la iglesia queda fuera de control. Todo se destruye y nada vuelve a ser igual.

La vida de una iglesia puede pender de la balanza a causa de una pequeña «*mordida*» satánica. Satanás engañó a Adán y Eva quienes después salieron del jardín, desistieron de una vida bendecida y dieron inicio a una existencia maldita.

Adán y Eva vivieron para lamentar haber seguido el engaño de Satanás. Mira cómo seguramente se lamentaron después de la caída. Estas narraciones lamentables son fragmentos de un libro cristiano llamado *El primer libro de Adán y Eva*.[1]

---

[1] 1.Lumpkin, J. (2010) *The Encyclopedia of Lost and Rejected Scriptures: The Pseudepigrapha and Apocrypha* 1 ed. Blountsville, Ala.: Fifth Estate.

Después Adán se puso de pie en la cueva y dijo: «Oh Dios, ¿por qué la luz se apartó de nosotros y nos cubrió la oscuridad? ¿Por qué nos dejaste en esta inmensa oscuridad? ¿Por qué nos atormentas así?

Y esta oscuridad, Oh Señor, ¿dónde estaba antes de que nos cubriera? Es por ella que no podemos vernos el uno al otro.

Todo el tiempo que estuvimos en el huerto, ni veíamos la oscuridad, ni sabíamos que existía. Eva no me era oculta, ni yo estaba oculto para ella, hasta ahora que ella no puede verme, y la oscuridad vino sobre nosotros para separarnos.

Tanto ella como yo estábamos en una luz brillante. Yo la veía a ella, y ella me veía a mí. Sin embargo ahora, desde que estamos en esta cueva, la oscuridad nos ha cubierto y nos separó de modo que yo no la veo, y ella no me ve.

Capítulo XII: 7-10

Luego Adán le dijo a Dios: «Me consumo en el calor, desmayo cuando camino, y no deseo estar en este mundo. Y no sé cuándo me permitirás descansar, y me sacarás de aquí».

Entonces el Señor Dios le dijo: «¡Oh Adán, esto no puede ser ahora, no hasta que tus días hayan terminado. Entonces te sacaré de esta tierra miserable!».

Y Adán le dijo a Dios: «Cuando estuve en el huerto, no conocí el calor, ni la fatiga, ni la fugacidad, ni el temblor, ni el miedo; pero ahora desde que llegué a esta tierra, toda esta aflicción ha venido sobre mí».

Después Dios le dijo a Adán: «Mientras guardabas Mis mandamientos, Mi luz y Mi gracia descansaban sobre ti. Pero cuando transgrediste Mi mandamiento, el dolor y la miseria llegaron a ti en esta tierra».

Y Adán lloró y dijo: «Oh Dios, no me apartes por esto, ni me castigues con plagas pesadas, tampoco me retribuyas de acuerdo con mi pecado; pues nosotros, por nuestra voluntad, transgredimos Tu mandamiento e ignoramos Tu ley, y cuando el enemigo Satanás nos engañó, tratamos de convertirnos en dioses como Tú».

Capítulo XXII: 1-5

Después Adán le dijo a Dios: «Oh Señor, Tú nos creaste, y nos hiciste aptos para estar en el huerto, y antes de mi transgresión, hiciste que todas las bestias se me acercaran, para que les pusiera nombre. Entonces Tu gracia estaba sobre mí; y yo las nombré a todas de acuerdo con tu pensamiento; y Tú hiciste que todas ellas se sujetaran a mí.

Pero ahora, Oh Señor Dios, que transgredí tu mandamiento, todas las bestias se levantarán contra mí y me devorarán, y también a Eva Tu sierva; y segarán nuestra vida de la faz de la tierra.

Por eso te suplico, Oh Dios, que en vista de que nos hiciste salir del huerto, y nos has hecho estar en tierra extraña, no permitas que las bestias nos hieran».

Capítulo VII: 3-6

Entonces Adán lloró y dijo: «Oh Dios, cuando vivíamos en el huerto, y nuestros corazones estaban complacidos, veíamos a los ángeles entonar alabanzas en el cielo, pero ahora no podemos ver como una vez vimos. No. Cuando entramos a esta cueva, toda la creación quedó oculta para nosotros».

Entonces Dios el Señor le dijo a Adán: «Cuando estuvieron bajo mi sujeción, tuvieron una naturaleza radiante en su interior, y por eso podían ver cosas distantes. Pero después de que cometieron transgresión, su naturaleza radiante les fue quitada y no quedó en ustedes el ver cosas distantes, sino solo cosas cercanas a ustedes, tal es la habilidad de la carne, pues es brutal».

Capítulo VIII: 1-2[2]

No permitas que Satanás te engañe como engañó a Adán y Eva. Satanás es experto en ofrecer ilusiones seductoras ante tus ojos. ¡No sigas cosas vanas! ¡No sigas promesas mentirosas! ¡No sigas a las masas! No sigas cosas radiantes que parezcan buenas. No mires la apariencia exterior, sino piensa con detenimiento antes de seguir liderazgos satánicos. ¡Cuídate del diablo! ¡Él es real!

[2-2] Ibid.

CAPÍTULO 11

Los pecados de un diablo: Ser Mentiroso

Vosotros sois de vuestro padre el diablo, y los
deseos de vuestro padre queréis hacer. El ha sido
homicida desde el principio, y no ha permanecido
en la verdad, porque NO HAY VERDAD EN ÉL.
Cuando habla mentira, de suyo habla; porque ES
MENTIROSO, y padre de mentira.

Juan 8:44

«¡Uno de vosotros es diablo!».

¿Cómo puedes saber cuando alguien es diablo?

Cuando alguien es diablo, se comporta exactamente como el diablo y se vuelve mentiroso ¡tal como lo fue el diablo!

Cuando enfrentas engaños, te estás enfrentando al mismo Satanás. Cuando das rienda suelta a las personas mentirosas que hay en tu vida, estás permitiendo que el diablo se sienta libre en tu vida y ministerio. Es un grave error permitir que las personas mentirosas prosperen cerca de ti. Enfrenta al diablo enfrentando debidamente las mentiras.

Donde hay mentirosos hay demonios

Cada vez que descubras engaños y mentiras puedes suponer con seguridad que ha habido una infiltración de demonios. Muchos de nosotros, pastores, hemos permitido que espíritus malignos entren a nuestros ministerios por las mentiras que decimos.

Un día, un pastor estaba indispuesto y no podía corresponder una invitación para predicar. Llamó a la persona que lo había invitado y le explicó que no podría asistir. Después le pidió al anfitrión que le hiciera el favor de decirle a la congregación que había viajado a Europa para una reunión de emergencia, y que por ese motivo no podría ir. Pero eso era una mentira. No había necesidad de engañar a la congregación respecto a haber tenido que hacer un viaje de emergencia a Europa. Decir mentiras es señal de infiltraciones de espíritus malignos en tu vida.

En otra ocasión, estuve con un hombre de Dios que había ministrado en muchas y diversas partes del mundo. De algún modo, yo sentía que algo estaba mal con su ministerio. Pero no podía señalar lo que estaba mal con ese ministerio. Mientras meditaba sobre esto, el Señor me mostró algo simple.

Dios dijo: «Piensa en cuántas mentiras ha dicho este hombre de Dios desde que te acercaste a él». Cuando pensé en esto, me di cuenta de que ese hombre de Dios había dicho varias cosas que no eran exactas. También había hecho varias promesas que no cumplió. Yo conocía a muchos cristianos que se habían molestado porque ese hombre de Dios les había hecho promesas que no había cumplido.

La presencia de falsedades, verdades a medias, promesas incumplidas, y la incapacidad de cumplir con acuerdos era evidente. De repente supe lo que el Señor me estaba mostrando. Había cierta clase de infiltración de actividad demoniaca en la vida y ministerio de este gran hombre de Dios.

La Escritura que dice que Satanás es padre de mentira es algo que no debes tomar a la ligera. Las mentiras son importantes porque Satanás es padre de mentira. Si ves a un niño caminando por la calle, puedes suponer que el padre del niño está en algún lugar cerca. Cuando ves una mentira, deberías saber que el padre de mentira está por ahí. Por eso, la presencia de mentiras indica la presencia del diablo. ¡El padre debe de estar cerca de su hijo!

Todas las mentiras son creadas, diseñadas, inspiradas y usadas por el mismo diablo. ¡Satanás es el padre de mentira! ¡Estas son palabras de Jesús! Los ministros del evangelio deben tener cuidado y no permitir que la actividad demoniaca entre a través de mentiras y engaños.

Muchos ministros permiten que los espíritus malignos obtengan acceso a su ministerio cuando empiezan a decir mentiras desde el púlpito. Es común para nosotros exagerar números y hacer promesas que no cumplimos. Es común para nosotros no cumplir con nuestra palabra.

Una práctica todavía más común y más peligrosa es predicar un falso evangelio para desviar al pueblo de Dios de la verdad de la Palabra de Dios. Esta práctica abre puertas grandes a espíritus malignos principales que se infiltran en el ministerio.

Los grandes engaños son el distintivo de la actividad demoniaca. Por consiguiente, las actividades que involucran muchas mentiras y engaños están asociadas a mucha actividad demoniaca.

Los políticos también dicen muchas mentiras. Por lo tanto, hay muchos espíritus malignos asociados con la faena política. Muchos cristianos cayeron en las tinieblas cuando se involucraron en la política. Se vieron forzados a sacrificar la verdad con el fin de que los aceptaran en sus partidos políticos. Encontrarás cristianos nacidos de nuevo diciendo grandes mentiras y defendiendo lo indefendible solo porque pertenecen a un partido político. Así es como abren sus vidas a espíritus malignos.

Muchas instituciones financieras giran alrededor del engaño. Muchas fianzas, acciones, inversiones e hipotecas están fuertemente atadas al engaño con el fin de hacer que la gente les confíe su dinero.

Recuerda esto: ¡dondequiera que hay un mentiroso hay un diablo! Cuando estás en la presencia de un mentiroso, estás en la presencia de un diablo. Y cuando estás en la presencia del diablo, estás en la presencia de peligros.

Satanás es mentiroso: Los mentirosos son destructores

1. La llegada de un mentiroso a tu vida es la llegada de un diablo.

El que origina todas las mentiras es Satanás. Uno de los pecados de Satanás es mentir. Quien dice mentiras está cometiendo uno de los pecados del diablo. Satanás es el padre de todas las mentiras. Por consiguiente, una persona que te miente proviene de Satanás. No había mentiras antes de que el diablo viniera al mundo. Cuando Satanás habla mentira, esto proviene de su misma naturaleza. Cuando escuchas que se dice una mentira, estás escuchando algo que viene del mismo corazón y naturaleza del diablo.

Vosotros sois de vuestro padre el diablo, y los deseos de vuestro padre queréis hacer. El ha sido homicida desde el principio, y no ha permanecido en la verdad, porque no hay verdad en él. Cuando habla mentira, DE SUYO HABLA; porque es mentiroso, y padre de mentira.

Juan 8:44

Las mentiras de Satanás son tan poderosas que tienen la habilidad de engañar a todo el mundo. Imagina algo tan fuerte que pueda inducir a error a millones de personas.

Y fue lanzado fuera el gran dragón, la serpiente antigua, que se llama diablo y Satanás, el cual ENGAÑA AL MUNDO ENTERO; fue arrojado a la tierra, y sus ángeles fueron arrojados con él.

Apocalipsis 12:9

Satanás también manipula circunstancias engañosas. Puede manipular circunstancias para que seas engañado y prosigas con ellas. Estas circunstancias manipuladas se llaman prodigios mentirosos.

Inicuo cuyo advenimiento es por obra de Satanás, con gran poder y señales y PRODIGIOS MENTIROSOS, y con todo engaño de iniquidad para los que se pierden, por cuanto no recibieron el amor de la verdad para ser salvos.

2 Tesalonicenses 2:9-10

2. La llegada de un mentiroso a tu vida es la llegada de Satanás, y por consiguiente, la llegada de una destrucción inminente.

En la presencia de un mentiroso, estás en la presencia del diablo y en la presencia de una destrucción inminente. Cuando Adán estuvo en el Huerto del Edén, estuvo ante la presencia de una destrucción inminente. Adán estuvo en peligro de destrucción cuando el diablo entró al huerto.

Todo el mundo estuvo bajo amenaza porque un mentiroso entró al huerto. La raza humana osciló en la balanza porque un mentiroso estuvo hablando con Eva.

Cuando Jesús estuvo en el desierto, en la presencia de un mentiroso, estuvo en presencia del peligro y de la destrucción. Cuando Absalón toleró la presencia de Husai como consejero, estuvo en presencia de una destrucción inminente. Absalón estuvo en peligro de ser capturado y asesinado por las fuerzas del rey David por tolerar las mentiras de Husai arquita.

Cuando Tamar aceptó a la persona y la presencia de su hermano quien se hizo pasar por alguien que necesitaba sus cuidados de enfermería, ella corrió un peligro inminente. Estuvo en peligro de que su hermano la violara y la destruyera.

Cuando Sansón se acostó para relajarse al lado de una Dalila mentirosa y falaz, corrió un gran peligro. Estuvo en peligro de ceguera, cautividad y muerte.

Cuando Sísara se relajó ante la presencia de la falaz y hermosa Jael, corrió peligro de que le clavaran una estaca en la cabeza.

Examinemos tu vida. ¿Vives con una persona mentirosa? ¿Trabaja para ti un mentiroso? En la presencia de un mentiroso, ¡estás en la presencia de un diablo! En la presencia de un mentiroso, ¡estás en presencia del peligro!

3. **La llegada de un mentiroso a tu vida es la llegada de Satanás y por consiguiente la llegada de tu castigo.**

Uno de los castigos de Dios es permitir que creas una mentira. Tu maldición llega a ti cuando se te envía a un mentiroso. La llegada de ese mentiroso con sus mentiras es la llegada del castigo de Dios a tu vida.

Por esto DIOS LES ENVÍA UN PODER ENGAÑOSO, PARA QUE CREAN LA MENTIRA, A FIN DE QUE SEAN CONDENADOS TODOS los que no creyeron a la verdad, sino que se complacieron en la injusticia.

2 Tesalonicenses 2:11-12

4.   La llegada de un mentiroso a tu vida es la llegada de Satanás, y por consiguiente la llegada de un asesino.

Cuando estás en la presencia de un mentiroso, estás en la presencia de un asesino disfrazado. Un mentiroso no es lo que parece. Un mentiroso no hará lo que dice. Un mentiroso no es lo que dice ser. ¡Un mentiroso es un homicida! ¡Un mentiroso es un asesino!

Vosotros sois de vuestro padre el diablo, y los deseos de vuestro padre queréis hacer. EL HA SIDO HOMICIDA desde el principio, y no ha permanecido en la verdad, porque no hay verdad en él. Cuando habla mentira, de suyo habla; porque ES MENTIROSO, y padre de mentira.

Juan 8:44

Hay grados de mentirosos y por consiguiente, hay grados de habilidades homicidas. No todo mentiroso puede engañar a todo el mundo. Algunos mentirosos solo pueden engañar a una nación. Algunos mentirosos pueden engañar a una iglesia. Algunos mentirosos pueden engañar a un pastor mientras que algunos mentirosos no pueden. Algunas personas mentirosas pueden engañar a un marido, a una esposa o a toda la comunidad. Algunos mentirosos solamente pueden engañar a personas incultas, mientras que otros también pueden engañar a personas cultas. ¡Todos los mentirosos son asesinos potenciales!

Y fue lanzado fuera el gran dragón, la serpiente antigua, que se llama diablo y Satanás, el cual engaña al mundo entero; fue arrojado a la tierra, y sus ángeles fueron arrojados con él.

Apocalipsis 12:9

5. La llegada de un mentiroso a tu vida es la llegada de Satanás, y por consiguiente la llegada de un farsante.

Un farsante necesita ser mentiroso para poder encubrir todos los aspectos de su vida que no son verdaderos y que no son congruentes.

Las mentiras y engaños generalmente son lo único que encubre los pecados pasados. Las mentiras y engaños son la protección de un farsante. Las mentiras y engaños generalmente son el único fundamento que un farsante tiene para apoyarse a fin de hacer más males. Las mentiras y engaños son un fundamento claro para la traición.

CAPÍTULO 12

Los pecados de un diablo: Separatismo

Despúes hubo una gran batalla en el cielo: Miguel y sus ángeles luchaban contra el dragón; Y LUCHABAN EL DRAGÓN Y SUS ÁNGELES;

Apocalipsis 12:7

ESTOS SON LOS QUE CAUSAN DIVISIONES ; los sensuales, que no tienen al Espíritu.

Judas 1:19

«¡Uno de vosotros es diablo!».

¿Cómo puedes saber cuando alguien es diablo?

Cuando alguien es diablo, se comporta exactamente como el diablo y se vuelve separatista ¡tal como lo era el diablo!

¿Qué significa tener al diablo entre ustedes? Significa tener a un separatista entre ustedes. ¡El separatismo quizás sea el pecado favorito de Satanás! «Apártate, sé independiente y sé tu propio jefe» es una canción favorita inspirada por Satanás. Separarte de los demás y no ser parte de la comunidad es una maniobra Satánica básica. Satanás no quiso ser parte de la comunidad celestial. No quiso quedarse con los demás. Quiso apartarse y estar por su cuenta.

Hasta que no te hayas topado con el «separatismo» no sabrás lo perturbador, molesto y destructivo que es. El separatismo es la razón por la cual la gente no puede edificar y prosperar. El separatismo es la razón por la cual las cosas que deberían crecer y llegar a ser grandes, siguen siendo pequeñas. Un engaño básico es *«Yo puedo estar bien sin ti, y tú puedes estar bien sin mí»*. Pero esto no es cierto porque la Biblia dice que nos perfeccionamos unos a otros.

...proveyendo Dios alguna cosa mejor para nosotros, para que NO FUESEN ELLOS PERFECCIONADOS APARTE DE NOSOTROS.

Hebreos 11:40

El diablo fue derribado desde el cielo a causa del pecado de separatismo. Satanás ha inspirado a un número incalculable de personas para que sigan su ejemplo y anden en el pecado de separatismo. Muchas personas andan en los pecados de Satanás y continúan luchando para estar apartadas. Los separatistas merecen ser echados y arrojados fuera para siempre. Este es el único trato que un separatista merece.

¡El separatismo es destructivo! Imagina que tus brazos decidieran separarse de tu cuerpo. ¡Imagina cómo sería si tus dos riñones simplemente se salieran disparados, declarando que no fueron llamados para estar en tu cuerpo! ¿Te imaginas qué pasaría si tus ojos escribieran una carta de renuncia en la mitad de tu vida, declarando que solo tenían la intención de quedarse veinte años?

Separatismo es el mal de alejarse del resto de la familia. Separatismo es la tendencia de romper con la familia haciéndose a un lado y permaneciendo a un lado. Separatismo es el arte de hacerte diferente y no querer ser parte del grupo. Separatismo es el arte de renunciar a la lealtad por el bien de una visión personal.

Separatismo es el arte de ser una persona especial que nunca quiere encajar con la multitud.

Separatismo es una tendencia maligna que entra en las personas cuando están bajo la influencia de Satanás. La naturaleza de Satanás es querer estar aparte. Incluso en el cielo, en medio de la gloria, Satanás deseó ser autónomo y apartarse de sus compañeros ángeles.

A Satanás no le impresionó la lealtad de los otros ángeles. No vio razón alguna para quedarse en el cielo para adorar a Dios. Satanás no vio razón alguna para decir cosas buenas de Dios. Pero hubo ángeles que no estuvieron de acuerdo con él y pelearon en su contra. El Dios Todopoderoso no tuvo necesidad de pelear contra Satanás.

Fue una guerra entre ángeles.

Fue una guerra entre los ángeles leales y los ángeles desleales.

Fue una guerra entre los ángeles que amaban a Dios y los ángeles que criticaban a Dios.

¡Satanás cometió el primer pecado de separatismo! ¡Satanás ha estado inspirando a muchos otros a ser separatistas!

Judas y el separatismo

Jesús les respondió: ¿No os he escogido yo a vosotros los doce, y uno de vosotros es diablo?

Juan 6:70

Cuando enfrentas el separatismo, estás enfrentando al mismo Satanás. Cuando permites que las personas desleales anden libres en tu iglesia, estás permitiendo que el diablo se sienta libre en tu vida y ministerio.

¿Qué es un encuentro verdadero con alguien de la vida real? Es un encuentro en el que de verdad te reúnes con una persona, hablas con una persona y hasta tocas a una persona. La mayoría de la gente espera encontrarse con el diablo con la forma de una criatura rojiza con un arpón y dos grandes cuernos. Pero un encuentro con el diablo en la vida real probablemente ya está teniendo lugar hoy en tu vida sin que tú te estés dando cuenta.

¡Jesús dijo que Judas era diablo! Yo no dije que Judas era diablo. ¡Jesús dijo que Judas era diablo! Jesús se encontró con Satanás cuando se encontró con Judas. Jesús se encontró con un separatista cuando se encontró con Judas. Tú estás encontrándote con Satanás de una manera real y en vivo cuando tienes un encuentro con un Judas.

Las Escrituras son muy claras en cuanto a que Jesucristo llamó diablo a Judas. Alguien que te traiciona y es desleal a ti es un diablo viviente y palpable. Yo no escribí la Biblia. Si Jesús llamó diablo a Judas, ¿por qué habrías tú de llamarlo de algún otro modo? Judas es famoso por su perfidia, deslealtad y traición. Satanás traicionó la confianza y posición que le fueron dadas. Judas le hizo a Jesús exactamente lo que Satanás hizo cuando se rebeló en el cielo. Traicionó la gran confianza y posición que le fueron dadas.

Los espíritus malignos están interviniendo cuando alguien te está traicionando, se vuelve en tu contra y se aparta de ti. Esto es obra del diablo. Satanás es el creador del comportamiento desleal y pérfido. Lucifer fue el líder de los ángeles rebeldes y caídos que no conservaron su señorío original y se apartaron de Dios. «Y a los ángeles que no conservaron su señorío original, sino que abandonaron su morada legítima, los ha guardado en prisiones eternas, bajo tinieblas para el juicio del gran día» (Judas 1:6 LBLA).

Desde entonces, Satanás ha estado inspirando a la gente para que se rebele contra sus líderes. Satanás (que fue desleal a Dios, quien le dio su nombramiento) ha estado inspirando a otros para que sean desleales a quienes les dieron sus nombramientos.

Cada vez que encuentras personas formando pandillas contra el líder, formando partidos, formando grupos, murmurando, conspirando y levantándose en contra de la autoridad sobre sus vidas, es que Satanás está interviniendo.

En ocasiones, las personas son desleales por su ignorancia e ingenuidad. Doscientas personas siguieron a Absalón cuando se levantó para pelear contra su propio padre. Sin embargo, estas doscientas personas se rebelaron inocentemente.

Y fueron con Absalón doscientos hombres de Jerusalén convidados por él, los cuales iban EN SU SENCILLEZ, sin saber nada.

2 Samuel 15:11

Si en tu iglesia estás batallando para ganar la confianza absoluta de tus asociados y ancianos, debes pensar en una actividad demoniaca. Donde hay deslealtad y perfidia, hay demonios actuando.

Hace algunos años, yo era pastor de una iglesia local. Un día, tuve una visión y me vi en un cuadrilátero, boxeando contra un oponente. De pronto me di cuenta con quien estaba peleando: con una dama y miembro prominente de la iglesia. El Señor me reveló que esa persona y algunas más, estaban peleando con sus lenguas en mi contra. Esta visión fue una mirada breve que Dios me dio dentro del mundo espiritual. Me fue revelado con claridad que alguien y algo estaba peleando contra mí.

Satanás es el autor de todo tipo de separación y deslealtad. La mayoría de los pastores están buscando diablos en las brujas. Esperan ver al diablo en una mujer vieja y arrugada que vive sola en una casa embrujada. Dicen para sí: «Esta es la bruja de la iglesia». ¡Pero el diablo se presenta como ángel de luz! La mayoría de los diablos maniobran a través de personas que tienen buena apariencia.

¡Ten cuidado, querido amigo! Las rupturas constantes en tu iglesia, la separación de pastores de su liderazgo, la división y confusión en tu iglesia son señales de la presencia y actividades de diablos. Quizá sea un espíritu demoniaco específico el que está hostigando tu iglesia. Generalmente es una pandilla demoniaca la que está actuando en contra del ministerio. Los espíritus malignos difícilmente trabajan solos. ¡Levántate y enfrenta a los diablos que han asediado tu ministerio!

Enfrenta a todos los separatistas desleales exactamente de la misma manera que Dios enfrentó a Satanás. ¡Expúlsalos! ¡Ya no tengas reuniones con ellos! ¡No discutas sus ideas y visiones con ellos! Lee todo sobre la lealtad y la deslealtad en mi libro. Aprende a destruir el poder de la deslealtad y del separatismo por medio de la clave del conocimiento.

CAPÍTULO 13

Los pecados de un diablo: Independencia

Tú que decías en tu corazón: Subiré al cielo; en lo alto, junto a las estrellas de Dios, levantaré mi trono, y en el monte del testimonio me sentaré, a los lados del norte; sobre las alturas de las nubes subiré, y seré semejante al Altísimo.

Isaías 14:13-14

«¡Uno de vosotros es diablo!».

¿Cómo puedes saber cuando alguien es diablo?

Cuando alguien es diablo, se comporta exactamente como el diablo y pelea por una independencia inapropiada y maligna tal y como lo hizo el diablo.

Satanás es el gran inspirador de todas las formas de independencia prematura. El pecado de independencia antes del tiempo correcto es una de las actividades demoniacas más destructivas. Hasta que hayas vivido en un país que obtuvo su independencia mucho antes de que las personas estuvieran preparadas para gobernarse a sí mismas, no comprenderás los efectos de la independencia prematura.

Este simple acto de «independencia antes de tiempo» destruye naciones enteras. Imagina a un bebé en el vientre materno que grita por su independencia cuando está conectado con el cordón umbilical. ¡Este bebé está demandando su propia muerte! Satanás inspira a la gente a demandar su propia muerte prematura.

¿Recuerdas al gadareno desquiciado y cómo se hería con piedras? Se hería y se lastimaba porque Satanás lo inspiraba. ¡Satanás es el que inspira a la gente a lastimarse a sí misma! Satanás es el que inspira a la gente a hacer lo que los conducirá a su propia destrucción.

En la actualidad, muchas personas andan en los pecados de Satanás y están siendo inspiradas a pelear por su independencia, la cual solamente las llevará a su destrucción. Los pastores son inspirados a ser independientes cuando ¡no pueden liderarse a sí mismos! Las iglesias son inspiradas a ser independientes cuando ¡no pueden gobernarse a sí mismas! Las naciones son inspiradas a ser independientes cuando ¡no saben nada sobre liderazgo y gobierno! Cuídate de las personas que se levantan en el nombre de la independencia pero en realidad son rebeldes.

Satanás intentó ser independiente de Dios. Sin embargo nadie puede ser independiente de Dios. Quieres estar por tu cuenta porque piensas que no necesitas las aportaciones de Dios. También piensas que puedes dirigir tu vida tan bien como Dios puede dirigirla por ti. De hecho, hasta piensas que para manejar tus propios asuntos puedes hacer un mejor trabajo que Dios. La independencia a menudo es fruto del orgullo.

La voz de la independencia a menudo es la voz del orgullo. Si estás acostumbrado a ella, pronto la reconocerás cuando la escuches. Así es como suena:

«¡Quiero estar por mi cuenta!».

«No quiero estar bajo tus órdenes».

«No quiero trabajar para nadie».

«¡Soy tan bueno como tú!».

«¿Por qué debería trabajar para ti cuando puedo trabajar por mi cuenta?».

«No quiero servir a nadie».

«Yo tengo mi propio llamado».

«Yo tengo mi propio ministerio».

«Yo mismo he escuchado a Dios».

«¡No te necesito!».

«Yo no te necesito y tú no me necesitas».

«¡No quiero estar asociado contigo!».

«¡No necesito estar asociado contigo!».

«¡Voy a probarles a ti y a todos que tengo el llamado y estoy ungido!».

«Soy dueño de mí mismo».

«¡Tú no estabas ahí cuando Dios me llamó».

«Puedo lograrlo sin ti».

«Voy a lograrlo sin ti y sin nadie más».

Observa cuántas veces Satanás usó o implicó la palabra «yo». Satanás se estaba promoviendo a sí mismo, exaltándose y declarando sus ambiciones personales de manera independiente. Lo hacía sin que le importara si alguien se le unía o no.

Esta es la actitud de una independencia maligna que busca estar apartada, aislada y tener su propia visión. Una visión apartada, única y diferente (*Subiré...*) siempre conduce a la división. Este es el pecado original de Satanás y en la actualidad es el pecado de muchos hombres. Quieren ser independientes de Dios. Todos los intentos de ser independientes de Dios son inspirados por Satanás. Ninguna parte de la creación es independiente de Dios. Dios envía el agua desde el cielo y hace que la yerba crezca. Los árboles, las aves y los montes dependen de Dios para recibir instrucciones de qué hacer. Hasta los leones recurren a Dios para sus alimentos. «¡Cuán innumerables son tus obras, oh Jehová! Hiciste todas ellas con sabiduría; La tierra está llena de tus beneficios» (Salmos 104:24). Solamente la maldad del diablo y la maldad del hombre es la que busca ser independiente de Dios.

El riega los montes desde sus aposentos;
Del fruto de sus obras se sacia la tierra.
El hace producir el heno para las bestias,
Y la hierba para el servicio del hombre,
Sacando el pan de la tierra,
Y el vino que alegra el corazón del hombre,
El aceite que hace brillar el rostro,
Y el pan que sustenta la vida del hombre.
Se llenan de savia los árboles de Jehová,
Los cedros del Líbano que él plantó.

Allí anidan las aves;

En las hayas hace su casa la cigüeña.

Los montes altos para las cabras monteses;

Las peñas, madrigueras para los conejos.

Hizo la luna para los tiempos;

El sol conoce su ocaso.

Pones las tinieblas, y es la noche;

En ella corretean todas las bestias de la selva.

LOS LEONCILLOS RUGEN TRAS LA PRESA,

Y PARA BUSCAR DE DIOS SU COMIDA.

Salmos 104:13-21

Ideologías que eliminan a Dios

Todas las ideologías que elevan al hombre al punto en el que piensa que no necesita a Dios son inspiradas por Satanás. El único que te inspira para que te separes de Dios es Satanás. Las teorías de humanismo, secularismo y racionalismo hacen que el hombre considere que no necesita a Dios. Estas teorías están llenas de la inspiración de Satanás. Satanás solamente quiere que el hombre sea independiente de Dios. Satanás se lo sugirió a Eva. ¡Por eso ahora estamos en este gran embrollo!

Humanismo: Es una línea de pensamiento que adjudica primordial importancia al ser humano en lugar de a las cosas divinas.

¹Secularismo: Es un sistema de ideas que ignoran o rechazan la fe y adoración religiosa en cualquiera de sus formas. Su objetivo primario es eliminar completamente de la sociedad todos los elementos religiosos. El secularismo asegura que el derecho de los individuos a la libertad de culto siempre equilibra el derecho a ser libres de una religión. Los seculares creen que el hombre es la medida de todas las cosas, que la moral está centrada en el hombre, no en Dios.

Racionalismo: Es la práctica de aceptar la razón como autoridad suprema y no una creencia religiosa.

La mayoría de las guerras en este mundo las ocasiona un deseo de ser independiente. Por consiguiente, el espíritu de independencia es la causa indirecta de muchas muertes en nuestro mundo. Mira esta lista asombrosa de guerras que han sido peleadas a través de los años. Todas estas guerras fueron peleadas por la independencia. ¿Puedes imaginar los millones de personas que han muerto tan solo por la lucha por la independencia?

Guerras de independencia en el mundo

1521-1523   Guerra suiza de liberación de la Unión de Kalmar

1568-1648   Guerra de los Ochenta Años de Holanda para independizarse de España

1640-1668   Guerra de Restauración portuguesa Guerra de Portugal para restaurar su independencia de España

1703-1711   Guerra de Independencia de Rackoczi Autonomía limitada para Hungría

1775-1783   Guerra de Estados Unidos para independizarse de la Gran Bretaña

1791-1804   Revolución haitiana Guerra de Haití para independizarse de Francia

1804-1813   Primer levantamiento serbio Derrota de los insurgentes

1808-1814   Guerra Peninsular- Lucha de España para independizarse de Francia

1810-1820   Guerras latinoamericanas para independizarse de España (Argentina, Bolivia, Chile, Ecuador, México, Perú, Venezuela)

1821-1827   Guerra griega para independizarse del Imperio Otomano

1830-1839   Revolución Belga Lucha de Bélgica para independizarse de Holanda

1835-1836	Batalla de Concepción Revolución de Texas para independizarse de México
1843-1849	Guerra dominicana para independizarse de Haití
1848	Primera Guerra Italiana de Independencia la unificación de Italia no se logró
1857-1858	Primera Guerra de Independencia de la India La Gran Bretaña derrotó a los insurgentes hindúes
1859	Segunda Guerra de la Independencia Italiana No tuvo éxito.
1861-1864	Guerra de Secesión Intento de los Estados Confederados de independizarse de los Estados Unidos
1863-1865	Levantamiento de Enero Rusia derrota a los insurgentes polacos
1866	Tercera Guerra de la Independencia Italiana El Imperio austriaco pierde Veneto, el cual fue anexado al Reino de Italia
1876	Sublevación de Abril Condujo a la Independencia de Bulgaria del Imperio Otomano en 1878.
1877	Guerra Rumana de Independencia para emanciparse del Imperio Otomano
1896-1898	Revolución Filipina Filipinas no logró alcanzar su independencia
1899-1913	Guerra Filipino-Estadounidense Estados Unidos derrota a los insurgentes
1916-1918	La Gran Revuelta Árabe derrota de las aspiraciones árabes de independencia por la división posterior a la I Guerra Mundial
1917-1921	Guerra de Independencia de Ucrania para emanciparse de Rusia
1918-1920	Guerra de Independencia de Estonia para emanciparse del Imperio Ruso
1918-1920	Guerra de Independencia de Letonia para emanciparse del Imperio Ruso

1918-1920	Guerra de Independencia de Lituania para emanciparse del Imperio Ruso y de Polonia
1919-1921	Guerra de Independencia de Irlanda Secesión de 26 de los 32 condados de Irlanda para emanciparse del Reino Unido.
1920-1926	Guerra del Rif España retiene el control del Protectorado español de Marruecos
1945-1949	Revolución de Indonesia – Guerra de Independencia de Indonesia para emanciparse de Holanda
1946-1954	Guerra de Indochina – Guerra de Independencia de Vietnam, Laos y Camboya para emanciparse de Francia
1948	Guerra árabe-israelí Israel derrotó a los árabes y conservó su independencia.
1952-1960	Revuelta del Mau Mau y Emergencia de Kenya El Reino Unido derrotó a los insurgentes
1954-1962	Guerra de Independencia de Algeria para emanciparse de Francia
1961-1974	Guerra de Independencia de Angola para emanciparse de Portugal
1961-1991	Guerra de Independencia de Eritrea para emanciparse de Etiopía
1963-1974	Guerra de Independencia de Guinea-Bisáu para emanciparse de Portugal
1964-1974	Guerra de Independencia de Mozambique para emanciparse de Portugal
1966-1988	Guerra de Independencia de Namibia para emanciparse de Sudáfrica (Guerra de la frontera de Sudáfrica)
1967-1970	Guerra Civil de Nigeria (Guerra de Biafra) – Derrota y disolución de la República de Biafra

1971	Guerra de Liberación de Bangladés para independizarse de Pakistán
1983-2005	Segunda Guerra Civil Sudanesa Intento de Sudán del Sur de independizarse de Sudán
1991-1995	Guerra de Croacia Independencia de Yugoslavia
1991	Guerra de los Diez Días Guerra de Independencia de Eslovenia para emanciparse de Yugoslavia
1992-1995	Guerra de Independencia de Bosnia para emanciparse de Yugoslavia
1996-1999	Guerra de Kosovo No hubo cambios legales para las fronteras con Yugoslavia, pero hubo una separación política de Kosovo con el resto de Yugoslavia.
2012	Rebelión Tuareg de 2012 (en el norte de Mali) Intento de la región del Azawad de independizarse de Mali

En la iglesia, muchos se han convertido en una triste versión de lo que fueron llamados a ser por haber deseado su independencia con demasiada desesperación. Muchas veces es mejor ser la pata de un elefante que la cabeza de una hormiga.

Hay muchas iglesias pequeñas, que reciben inspiración para ser independientes en lugar de ser parte de una comunidad. Hay muchas iglesias independientes que necesitan depender de una comunidad y ser parte de ella.

La infiltración satánica está creciendo en los últimos días, y por consiguiente se busca más independencia. Por ejemplo, en 1946 solo el 4% de las iglesias pentecostales eran independientes, tanto en Estados Unidos como en Canadá. En la actualidad, mucho más del 75% de las iglesias pentecostales son iglesias únicas e independientes.

La mayoría de iglesias más antiguas ¡fueron parte de una denominación! Por ejemplo, en 1946, en un área donde había 27 iglesias pentecostales, 26 de ellas eran parte integral de una denominación.

Desgraciadamente, conforme la infiltración satánica ocurre, se busca cada vez más independencia. Satanás hace que el orgullo y la independencia crezcan en el corazón de los hombres de Dios. Todos quieren ser independientes y todos quieren ser la cabeza. Satanás es el autor de una independencia inicua e inapropiada. Satanás es el padre de los hijos de orgullo.

[El leviatán] Desafía a todo ser altivo; él es rey sobre todos los hijos de orgullo.

Job 41:34 LBLA

CAPÍTULO 14

Los pecados de un diablo: Debilitar Naciones

¡Cómo caíste del cielo, oh Lucero, hijo de la mañana! Cortado fuiste por tierra, TÚ QUE DEBILITABAS A LAS NACIONES. [...] Se inclinarán hacia ti los que te vean, te contemplarán, diciendo: ¿Es éste aquel varón que hacía temblar la tierra, que trastornaba los reinos; QUE PUSO EL MUNDO COMO UN DESIERTO, QUE ASOLÓ SUS CIUDADES, que a sus presos nunca abrió la cárcel?

Isaías 14:12, 16-17

«¡Uno de vosotros es diablo!».

¿Cómo puedes saber cuando alguien es diablo?

Cuando alguien es diablo, se comporta exactamente como el diablo y debilita a las naciones, a las iglesias y a las familias tal y como lo hizo el diablo.

Una de las actividades terribles del diablo es el pecado de debilitar naciones. El pecado de debilitar naciones ha introducido una gran agitación en el mundo. Hasta que hayas viajado por los estados fallidos de África que no tienen un verdadero gobierno, ni seguridad o desarrollo alguno, no sabrás lo devastadora que es esta actividad de Satanás. El diablo fue derribado desde el cielo porque quería convertir el cielo en un «estado fallido». Quería convertir el cielo en un centro de caos y volverlo una jungla. Satanás ha inspirado a incontables seres humanos para que sean destructores insensatos de sus países. Muchos líderes se han levantado para destruir a sus naciones. Por ejemplo, Adolfo Hitler debilitó a Alemania llevando a su país a seis años de caos, confusión y guerra. Millones de personas murieron absurdamente al seguir su liderazgo.

Muchas personas andan en los pecados de Satanás y continúan con la obra de debilitar naciones y convertirlas en ruinas. ¡Cuídate de los que destruyen naciones! Cuídate de los partidos políticos y líderes fatalmente deficientes que llevan a sus países por mal camino hasta que no hay ninguna seguridad, ninguna confianza, nada de agua, nada de luz, ninguna escuela buena, ningún buen hospital, ningún trabajo, ninguna carretera, ningún desarrollo, ninguna industria y nada de paz.

Satanás ha destruido naciones. En lugar de países fuertes libres de hambre, inanición, pobreza y enfermedad, la tierra está llena de naciones débiles que luchan al borde de la bancarrota, de la inanición y de la guerra.

La mayoría de las naciones están en una u otra crisis, y muchas naciones son estados fallidos. Muchas naciones no tiene gobiernos verdaderos. Muchas naciones no pueden gobernarse a sí mismas y no pueden alimentarse. El estado debilitado de las naciones de nuestro mundo lo ocasiona la presencia de Satanás en los gobiernos que rigen a las naciones.

Muchos gobiernos cometen los pecados del diablo y debilitan a las naciones que rigen. Por eso es importante orar por nuestros líderes. Los príncipes de la nación pelean para controlar las almas y corazones de nuestros políticos. Los príncipes sobre las naciones buscan dirigir a los líderes de las naciones para destruir esas naciones.

Imagina a un jefe de estado cuyo objetivo sea extender la homosexualidad antes de terminar su gestión. ¡Imagina a un jefe de estado que conduce a su país a una guerra! ¡Imagina a un jefe de estado que mete a su país en deudas irrecuperables! ¡Imagina a un jefe de estado que destruye el sistema educativo de toda una nación! Imagina a un jefe de estado ¡que se roba todo el dinero de su país y lo guarda lejos en una cuenta secreta! Imagina a un jefe de estado ¡que destruye el sistema de salud de su país!

Es Satanás el que destruye este mundo. Los hombres que han recibido la naturaleza de Satanás y se han convertido en diablos vivientes también andan en estos mismos pecados con el fin de destruir este mundo.

Cuídate de hombres que ayudan a Satanás a debilitar y destruir naciones por medio de la corrupción, la guerra y un mal liderazgo. Muchos políticos tienen espíritus malignos dentro de ellos, y llevan a cabo el plan de Satanás para destruir naciones. Dios va a castigar a Satanás y a todos aquellos que imiten sus acciones para destruir esta tierra.

Y se airaron las naciones, y tu ira ha venido, y el tiempo de juzgar a los muertos, y de dar el galardón a tus siervos los profetas, a los santos, y a los que temen tu nombre, a los pequeños y a los grandes, y de DESTRUIR A LOS QUE DESTRUYEN LA TIERRA.

Apocalipsis 11:18

A nuestro mundo paulatinamente lo están convirtiendo en un páramo de lugares sucios, ciudades mugrientas, junglas destruidas, lagos destruidos, playas mugrientas y ríos contaminados. El mar está lleno de cuerpos muertos de la raza humana y de los desperdicios nucleares de nuestro mundo. Debido a las actividades de la deforestación ambiciosa y malvada de los hombres, los desiertos se han extendido a áreas en las que nunca se proyectó que estuvieran.

De muchos ríos ya no se puede beber porque están contaminados con cianuro y otros metales. Por la ambición de la humanidad, muchos de los animales salvajes están a punto de extinguirse. Paulatinamente nuestro mundo se está convirtiendo en un desierto. Es un grito lejano desde su estado original. Por eso es maravilloso visitar lugares en los que se ha preservado la naturaleza, los que Satanás no ha podido destruir. En verdad que Satanás ha debilitado a las naciones de este mundo. Este es uno de sus pecados, ¡y va a pagar por destruir este mundo! Todo hombre que se levanta para destruir el mundo por medio de su liderazgo anda en los pecados de Satanás ¡y es un diablo para su nación!

CAPÍTULO 15

Los pecados de un diablo: Tentar a Los Siervos de Dios

Entonces Jesús fue llevado por el Espíritu al desierto, para ser tentado por el diablo.

Mateo 4:1

89

«¡Uno de vosotros es diablo!».

¿Cómo puedes saber cuando alguien es diablo?

Cuando alguien es diablo, se comporta exactamente como el diablo y tienta a los siervos de Dios, ¡tal y como lo hizo el diablo!

La tentación es señal de la presencia del diablo. Las tentaciones repetidas, persistentes, son señal segura de que hay espíritus malignos en tu vida. Jesucristo fue tentado en el desierto. Jesucristo fue tentado por el diablo y no por Dios.

Uno de los grandes pecados de Satanás fue su intento de destruir al Hijo de Dios por medio de la tentación. ¿Cómo pudo intentar hacer que el Hijo de Dios cayera en pecado? ¿Cómo pudo crear una trampa para Jesucristo? ¿Cómo se atrevió a ponerle una trampa al Señor en lugar de ponerle una mesa y atenderlo? ¡Qué criatura tan malvada e irrespetuosa es Satanás!

Y vino a él el tentador, y le dijo: Si eres Hijo de Dios, di que estas piedras se conviertan en pan...

y le dijo: SI ERES HIJO DE DIOS, ÉCHATE ABAJO; porque escrito está:

A sus ángeles mandará acerca de ti, y,

En sus manos te sostendrán,

Para que no tropieces con tu pie en piedra.

Mateo 4:3, 6

Sin embargo, pocos años después, Cristo fue tentado precisamente con la misma prueba: demostrar que Él era el Hijo de Dios. Hombres que actuaban como diablos le lanzaban gritos cuando Él estaba en la cruz, urgiéndole a demostrar que Él era el Hijo de Dios. El mismo diablo que lo tentó cuando estaba en el desierto había regresado a tentarlo cuando estaba en la cruz.

Y los que pasaban le injuriaban, meneando la cabeza, y diciendo: Tú que derribas el templo, y en tres días lo reedificas,sálvate a ti mismo; SI ERES HIJO DE DIOS, DESCIENDE DE LA CRUZ.

Mateo 27:39-40

Tentar hombres y provocar que caigan por medio de sus debilidades y deseos carnales es un distintivo de la maldad de Satanás porque él es el tentador. Todas las tentaciones con las que te has topado en tu vida son inspiradas por el diablo. Satanás quiere desesperadamente que caigas. Pero mientras tú seas recto y moral, él no tiene acceso a tu vida.

Una de las razones de la tentación es facilitar la entrada a otros espíritus malignos que no están relacionados. Una cosa lleva a la otra, y un espíritu maligno abre la puerta a otros. Satanás a menudo quiere traer a tu vida una pandilla de espíritus malignos. Recuerda que el gadareno desquiciado tenía seis mil espíritus dentro de él.

Hace algunos años, unos ladrones entraron a nuestra casa a media noche. Saquearon la casa y en la planta baja robaron lo que pudieron. En la mañana, estábamos perplejos tratando de descubrir cómo había entrado esta pandilla a la casa. Entonces encontramos un pequeño espacio en una ventana, por el cual había entrado una persona pequeña. Una vez que entró a la casa, abrió los demás accesos de la casa, y dejó entrar al resto de la pandilla.

Esto es lo que Satanás quiere hacer cuando te tienta repetidas veces. Está buscando una puerta que pueda forzar hasta abrirla, y dejar que otros espíritus malignos entren. Por ejemplo, el demonio de los robos le abre la puerta al demonio de las mentiras.

El pecado de tentar a los siervos de Dios es una de las actividades de los demonios más malignas. El diablo fue derribado desde el cielo y desde entonces ha estado tentando a la gente. Satanás ha inspirado a un número incalculable de personas para que sigan su ejemplo y tienten a los siervos de Dios.

Muchas personas andan en los pecados de Satanás cuando actúan como tentadores. Los tentadores merecen ser echados fuera y expulsados para siempre. Este es el único trato que un tentador merece.

¡Cuídate de los que no te respetan! ¡Cuídate de los que han llegado a tu vida para hacerte caer! ¡Cuídate de los que están ahí para poner a prueba tus resoluciones. Satanás inspira a cualquier persona que llega a tu vida para tentarte o probarte; está ungida desde el infierno para destruirte.

Analiza a cada mujer de tu vida y ministerio. Hazte las siguientes preguntas: ¿es un demonio? ¿Es un demonio literal enviado para destruir tu vida y ministerio? ¿Respeta la grandeza del llamado de Dios y la unción en tu vida? No te dejes llevar por personas que delante de ti hacen ostentación de sus cuerpos encantadores y atractivos. Son demonios vivientes enviados desde el infierno.

Analiza ahora a cada uno de los hombres de tu vida. ¿Es un diablo viviente? ¿Es una persona enviada para tentarte? ¿Qué hace un diablo? Un diablo tienta, pone a prueba y seduce. ¿Alguna persona en tu vida te está tentando, probando y seduciendo?

Tratar con tentadores es tratar con Satanás

Entonces Jesús fue llevado por el Espíritu al desierto, para ser tentado por el diablo.

Mateo 4:1

Cuando enfrentas tentaciones y pruebas, estás enfrentando al mismo Satanás. Cuando das rienda suelta a los tentadores que hay en tu vida, estás permitiendo que el diablo tenga acceso a tu vida y ministerio. Es un grave error que le permitas a alguien tentarte constantemente. Esa persona es un diablo literal, y debes quitarla de tu vida. ¡Enfrenta al diablo, enfrentando a tus tentadores como es debido!

CAPÍTULO 16

Los pecados de un diablo: Trucos, Trampas y Engaños

Y fue lanzado fuera el gran dragón, la serpiente antigua, que se llama DIABLO Y SATANÁS, el cual ENGAÑA al mundo entero; fue arrojado a la tierra, y sus ángeles fueron arrojados con él.

Apocalipsis 12:9

«¡Uno de vosotros es diablo!».

¿Cómo puedes saber cuando alguien es diablo?

Cuando alguien es diablo, se comporta exactamente como el diablo y engaña a los siervos de Dios ¡tal y como lo hizo el diablo!

Uno de los pecados más perversos del diablo es el pecado del engaño. El pecado de mentirles a los siervos de Dios es una de las actividades más destructivas de los demonios. Algunas personas ingresan al ministerio y a ciertos trabajos por medio de engaños.

Hasta que te hayas topado con un embustero, no sabes lo peligroso que los engaños pueden ser. Incluso puedes casarte engañado. ¡Esto no va a pasarte a ti!

Un joven se casó con una supuesta virgen. Él se casó con esa mujer porque tenía la impresión de que era virgen. Algunos meses después de la luna de miel, él me tuvo confianza y me dijo: «Siempre me pregunté si mi esposa era virgen».

«¿Por qué?», le pregunté.

«Hubo algo extraño en nuestra primera noche juntos. Simplemente fue demasiado fácil», dijo.

A continuación dijo: «Yo había escuchado testimonios de cómo la gente batalla para tener sexo en su primera noche. En nuestro caso, batallamos muy poco».

Luego dijo: «También me hizo varias cosas que me sorprendieron. Yo dije para mis adentros: «Esta es una persona muy experimentada. Para ser principiante, conoce demasiadas cosas fantásticas y asombrosas»».

Este hermano pronto descubriría que su esposa estaba muy lejos de ser virgen cuando se casó con ella. Por cierto, antes de casarse, había estado embarazada una vez. ¡Vaya!

El diablo fue derribado desde el cielo por sus trucos, trampas y engaños. Satanás ha inspirado a un número incalculable de personas para que sigan su ejemplo y anden en los pecados de los hombres que engañan. Las personas andan en los pecados de Satanás cuando viven con trucos y engaños. Un engañador es una persona peligrosa que no debes tener cerca. Si tienes un mentiroso cerca de ti, ¡tienes un diablo cerca de ti! ¡Los engañadores deben ser lanzados!

Uno de los grandes crímenes de Satanás fue su intento de engañar al Hijo de Dios. Trató de hacer que Jesús cayera en pecado engañándolo con trampas ingeniosas y difíciles. Incluso en la actualidad, los eruditos batallan para comprender la tentación de Jesucristo. La tentación de Jesucristo fue un engaño disfrazado con mucho ingenio.

Otra vez le llevó el diablo a un monte muy alto, y le mostró todos los reinos del mundo y la gloria de ellos, y le dijo: TODO ESTO TE DARÉ, SI POSTRADO ME ADORARES.

Entonces Jesús le dijo: Vete, Satanás, porque escrito está: Al Señor tu Dios adorarás, y a él sólo servirás.

Mateo 4:8-10

Satanás trató de convertir al Hijo de Dios en un pecador. Satanás quiso tenderle una trampa a Jesucristo. Satanás quería que Jesús cayera bajo, de modo que no pudiera mantenerse firme en santidad delante del Padre. Cuídate de los que tratarán de convertirte en un pecador. Es Satanás otra vez en acción para timarte.

Satanás trató de engañar a Jesucristo. Cuídate de los que tratan de engañarte.

Satanás intentó avergonzar, deshonrar y humillar a Jesucristo por medio de engaños. A través de la tentación, Satanás intentó provocar que el Hijo de Dios cayera. Cuídate de los que tratan de engañarte, avergonzarte, deshonrarte y humillarte. Ten cuidado de los que tratan de hacerte caer por medio de engaños.

Satanás quiso timar a Jesucristo para que fuera una persona ordinaria y dejara de ser una persona santa. Cuídate de los que quieran convertirte en una persona ordinaria.

Cada vez que veas a alguien tratando de engañar, intimidar, hostigar y avergonzar a un siervo de Dios, debes discernir la presencia de Satanás. No necesitas una palabra de conocimiento especial para confirmarlo. Esto es exactamente lo que Satanás intentó hacerle al Hijo de Dios. Por eso será castigado en el fuego eterno. Ve lo que le sucedió a Ananías y Safira quienes trataron de engañar a Pedro.

Pero cierto hombre llamado Ananías, con Safira su mujer, vendió una heredad, y sustrajo del precio, sabiéndolo también su mujer; y trayendo sólo una parte, la puso a los pies de los apóstoles.

Y dijo Pedro: Ananías, ¿POR QUÉ LLENÓ SATANÁS TU CORAZÓN para que mintieses al Espíritu Santo, y sustrajeses del precio de la heredad?

Hechos 5:1-3

Es evidente que Ananías y Safira estaban llenos del espíritu de Satanás cuando trataron de engañar al hombre de Dios. Cada vez que andes con engaños, estás viviendo y actuando como un diablo. ¿Hay engañadores cerca de ti? Si hay embusteros y engañadores cerca de ti, hay diablos cerca de ti. ¡Mas el poder de Dios te libra de todo tipo de engaño!

CAPÍTULO 17

Los pecados de un diablo: Acusar a Los Hombres de Dios

Y fue lanzado fuera el gran dragón, la serpiente antigua, que se llama diablo y Satanás, el cual engaña al mundo entero; fue arrojado a la tierra, y sus ángeles fueron arrojados con él. Entonces oí una gran voz en el cielo, que decía: Ahora ha venido la salvación, el poder, y el reino de nuestro Dios, y la autoridad de su Cristo; porque ha sido lanzado fuera EL ACUSADOR de nuestros hermanos, EL QUE los ACUSABA delante de nuestro Dios día y noche.

Apocalipsis 12:9-10

«¡Uno de vosotros es diablo!».

¿Cómo puedes saber cuando alguien es diablo?

Cuando alguien es diablo, se comporta exactamente como el diablo y se vuelve un acusador.

El hombre de acero

Recuerdo una visión que tuve. Yo entraba y salía de un edificio alto. Había muchas personas entrando y saliendo conmigo. Justo afuera de la puerta de este importante edificio alto estaba un hombre sentado en el piso. Era delgado y muy fuerte, y parecía estar hecho de acero y alambres. Cada vez que yo pasaba por ahí, él decía algo sobre mí que no era cierto. A gritos les decía a todos que yo era de cierto país y que estaba haciendo cosas que yo nunca había hecho. A todo esto, ¡este hombre nunca me había visto! ¡No sabía nada sobre mí! Yo seguía diciéndole que yo no era de ese país, y que nunca había hecho ninguna de las cosas de las que él estaba hablando. Pero él siguió gritándole a la gente que yo era de ese país extraño y que no tenía buenas intenciones.

En cierto momento, me pregunté si yo era de ese país y si había hecho todas las cosas que él estaba contando a gritos. El hombre de acero, por medio de sus gritos, había atraído mucha atención hacia mí, y me estaba ocasionando graves problemas. En la visión, empecé a pelear y a luchar contra esa criatura cuyo objetivo principal era anunciar cosas malas de mí, y decir cosas sobre mí que no tenían base alguna y eran absolutamente falsas. Pero esa criatura era muy fuerte. Parecía estar hecha de varas de acero flexible. No fue fácil para mí quitarlo de ese lugar.

Luego escuché una voz que me decía que le aplastara la cabeza con un ladrillo; me estaba diciendo que aplastara al demonio con una fuerza mucho mayor. Necesitaba matar a esa criatura porque no tenía buenas intenciones. Esa sería la única manera de silenciar a esa terrible criatura acusadora que se había plantado en la puerta.

¿Te das cuenta? Ese hombre de acero era un demonio. Por eso tenía fuerza sobre-humana. No eran buenas sus intenciones. Su cometido era acusarme y crear una impresión completamente falsa y negativa sobre mí. Su cometido era debilitarme, desestabilizarme e intimidarme por medio de sus acusaciones.

Uno de los pecados más infames del diablo es el pecado de las acusaciones. El pecado de acusar a los siervos de Dios es una de las actividades más destructivas de los demonios. Hasta que hayas enfrentado acusaciones, no sabrás cuán perturbadoras, desconcertantes y destructivas son.

¡El diablo fue derribado desde el cielo por este pecado! Satanás ha inspirado a un número incalculable de personas para que sigan su ejemplo y anden en el pecado de las acusaciones. Muchas personas andan en los pecados de Satanás al continuar en el ministerio de las acusaciones. ¡Tales personas son diablos literales para ti! Aun si el acusador es pastor asociado, periodista o esposa, ¡esa persona es diablo para ti! Tales acusadores merecen ser deshonrados, lanzados y desechados para siempre. ¡Es el único trato que un acusador y un diablo merecen! ¡Así es como Satanás fue tratado en el cielo! ¡Fue arrojado!

Cuando lidias con acusaciones, ¡estás lidiando con el mismo Satanás! Satanás es el acusador maestro. Cuando das rienda suelta a los acusadores que hay en tu vida, estás permitiéndole al diablo sentirse libre en tu ministerio. Es un grave error que permitas que alguien te acuse constantemente. ¡Lidia con el diablo silenciando a acusadores y acusaciones!

«Acusador de nuestros hermanos» es un título que se le da a Satanás. Por eso debes cuidarte de las esposas que continuamente acusan a sus maridos. ¡También debes cuidarte de los esposos que continuamente acusan a sus mujeres! ¡Tales personas tienen demonios adentro! ¡Tales personas son demonios vivientes! Es importante comprender cómo funcionan las acusaciones. Las acusaciones no se dirigen a las personas porque sean malas. ¡Las acusaciones se dirigen a las personas porque el diablo está interviniendo!

Todos estamos sujetos a acusaciones porque todos nosotros hemos pecado ¡y continuamos pecando! Si decimos que no tenemos pecado, nos engañamos a nosotros mismos, ¡y la verdad no está en nosotros! La presencia de pecado nos hace blancos fáciles para un acusador y por eso a Satanás le encanta usar su arma de acusación.

¡Cuídate de los efectos de las acusaciones! Las acusaciones dan por resultado divisiones y confusión. Cuando hay acusaciones, todos sospechan de los demás y ya nadie está seguro de quién es bueno y quién es malo. Esto da por resultado confusión y divisiones. Debido a que muchas acusaciones tienen cierto tipo de verdad, nadie está seguro de qué es verdad y qué es mentira.

Por eso una iglesia, una familia, un partido político, una nación se divide completamente por la presencia de un acusador. Un acusador en un matrimonio destruye la felicidad y unidad entre la pareja. Parejas que estaban profundamente unidas, se van apartando y se ven forzadas a subsistir juntos, debido a las continuas acusaciones de uno de ellos.

Cuando un marido acusa injustamente a su mujer de tener una aventura con otros hombres, ella se confunde y se aleja de él. Cuando una esposa acusa a su marido de tener aventuras con otras mujeres, él se aleja de ella; se vuelve reservado con el fin de protegerse de su esposa desconfiada e acusadora. La familia que antes era feliz y unida, entonces se divide en diferentes cuarteles fundamentados en las acusaciones que han surgido.

Cuando Satanás se mete en un matrimonio, posiblemente use a uno de ellos como un acusador fuerte. Asegúrate de no ser empleado ni usado por un ángel oscuro para acusar a tu mejor amigo. Las acusaciones son el mayor engaño que jamás se le haya ocurrido al diablo para destruir familias e iglesias. Observa cómo Satanás acusó a Josué, el sumo sacerdote. No hay duda de que acusar y deshonrar a los siervos de Dios son los pasatiempos principales del diablo.

Me mostró al sumo sacerdote Josué, el cual estaba delante del ángel de Jehová, y SATANÁS ESTABA A SU MANO DERECHA PARA ACUSARLE.

Y dijo Jehová a Satanás: Jehová te reprenda, oh Satanás; Jehová que ha escogido a Jerusalén te reprenda. ¿No es éste un tizón arrebatado del incendio?

Y Josué estaba vestido de vestiduras viles, y estaba delante del ángel. Y habló el ángel, y mandó a los que estaban delante de él, diciendo: Quitadle esas vestiduras viles. Y a él le dijo: Mira que he quitado de ti tu pecado, y te he hecho vestir de ropas de gala.

Zacarías 3:1-4

Acusar a los siervos honorables de Dios para deshonrarlos es una de las actividades comunes de Satanás. En esta Escritura clásica, vemos a Satanás cerca del siervo de Dios, tratando de tomar ventaja de sus vestiduras viles. Debido a que nosotros nos movemos y vivimos en esta tierra, la carne y sus debilidades manchan nuestras vestiduras y nuestras vidas. Este mismo Josué, al que estaban acusando, estaba ayudando a reconstruir el templo y Jerusalén.

Todos y cada uno de los siervos de Dios tienen las debilidades de la carne. A Satanás le encanta señalar los defectos y fallas de los que amamos a Dios. Mas Dios está completamente consciente de nuestros defectos, y elige usarnos a pesar de nuestras grandes deficiencias.

Cuídate de quien constantemente ridiculiza a los predicadores. Cuídate de quien acusa a hombres de Dios de ser inmorales y pecadores. Cuídate de los que cuestionan constantemente los motivos de las personas cuando estas están predicando. ¡Esto es lo que hace Satanás!

Satanás es experto en cuestionar los motivos y en sospechar que las personas buenas tienen motivos ulteriores en lo que están haciendo. Mientras sirvas al Señor, recibirás innumerables acusaciones. Cuando se acusa a alguien constantemente, esta persona vive en la presencia de Satanás y sufre tormento inimaginable.

Las acusaciones pueden destruir a un ministro

Las Escrituras nos dicen que a Jesucristo lo crucificaron los príncipes de este mundo. La traducción real de esta Escritura es que a Jesús lo crucificaron los principados. Recuerda que los principados son una de las clases de espíritus malignos mencionados en el libro de los Efesios.

La [sabiduría] que ninguno de los príncipes de este siglo conoció; porque si la hubieran conocido, nunca habrían crucificado al Señor de gloria.

1 Corintios 2:8

¿En realidad, cómo crucificaron los principados a Jesucristo? Lo crucificaron por medio de los fariseos, los escribas y los judíos que acusaron a Jesucristo y instigaron Su ejecución. *Por consiguiente, las actividades de los fariseos fueron actividades de demonios.* A Jesús lo crucificaron los príncipes de este mundo. Durante toda la semana anterior a la crucifixión, el Señor estuvo en el templo donde los fariseos lo cuestionaron y lo examinaron (lo acusaron).

Entonces se fueron los fariseos y consultaron cómo podrían ENREDARLE en alguna palabra. Después enviaron a él discípulos de ellos, junto con los herodianos, diciendo:

—Maestro, sabemos que eres hombre de verdad, que enseñas el camino de Dios con verdad y que no te cuidas de nadie; porque no miras la apariencia de los hombres.

Dinos, pues, ¿qué te parece? ¿Es lícito dar tributo al César o no?

Pero Jesús, entendiendo LA MALICIA DE ELLOS, les dijo: —¿Por qué me PRUEBAN, hipócritas?

Mateo 22:15-18

NOSOTROS LE HEMOS OÍDO DECIR: YO DERRIBARÉ ESTE TEMPLO HECHO A MANO, y en tres días edificaré otro hecho sin mano.

Marcos 14:58

Mi pregunta es: «¿Estas acusaciones tuvieron el efecto deseado?». La respuesta es: «Sí lo tuvieron. Funcionaron».

Las acusaciones, aun cuando fueron fantásticas y contrarias al carácter conocido del predicador, tuvieron el efecto deseado. Jesús fue condenado a muerte con base en esas acusaciones. Satanás pretende poner fin a tu ministerio por medio de acusaciones sin fundamento. Pero Dios te librará del poder del enemigo y te dará la victoria final.

Acusación es intimidación, provocación y hostigamiento

Debes comprender la naturaleza espiritual y demoniaca de las acusaciones, independientemente de lo verdaderas que sean. Satanás es el acusador de nuestros hermanos. Los espíritus demoniacos constantemente acusan, intimidan y hostigan a los hombres de Dios. Pero no consideres como algo natural las acusaciones persistentes en tu contra.

Debes levantarte en el espíritu y lidiar con los poderes y las criaturas del mundo de tinieblas que están detrás del constante hostigamiento e intimidación que hay en tu vida y ministerio.

La intimidación y el hostigamiento hacia los ministros del evangelio son claramente demoniacos en su naturaleza. Los ministros a los que constantemente están acusando, frecuentemente se ven hostigados e indispuestos. Si eres experimentado, observarás el hostigamiento en los rostros de estos siervos honorables.

A algunos ministros del evangelio los acusan, intimidan y hostigan sus enemigos, pastores asociados, esposas, periodistas y criticones.

Hoy queda marcado el fin del poder de las acusaciones en tu ministerio. Verás el fin de tu acusador dentro de dos semanas. Tus acusadores se desvanecerán así como se desvanecieron los fariseos. ¡El que tiene las manos limpias se fortalecerá cada vez más!

CAPÍTULO 18

Los pecados de un diablo: Homicidios

Vosotros sois de vuestro padre el diablo, y los deseos de vuestro padre queréis hacer. EL HA SIDO HOMICIDA DESDE EL PRINCIPIO, y no ha permanecido en la verdad, porque no hay verdad en él. Cuando habla mentira, de suyo habla; porque es mentiroso, y padre de mentira.

Juan 8:44

La [sabiduría] que ninguno de los príncipes de este siglo conoció; porque si la hubieran conocido, NUNCA HABRÍAN CRUCIFICADO AL SEÑOR de gloria.

1 Corintios 2:8

«¡Uno de vosotros es diablo!».

¿Cómo puedes saber cuando alguien es diablo?

Cuando alguien es diablo, se comporta exactamente como el diablo y mata personas ¡tal y como lo hizo el diablo!

Uno de los mayores pecados de Satanás fue instigar el asesinato del Hijo de Dios. ¿Cómo podrías matar al unigénito Hijo de Dios, al precioso Cordero de Dios? ¡Vaya maldad! ¡Vaya modo tan cruel de tratar con el Salvador del mundo! Cuídate de los que odian a Jesucristo.

Cuídate de los que odian el cristianismo y de los que matan cristianos.

Es lo mismo que los príncipes de este mundo le hicieron al Hijo de Dios. Nosotros somos hijos de Dios. Los príncipes de este mundo están organizando gente para pelear contra la cristiandad. Satanás está inspirando a algunas personas para que maten a cristianos por todo el mundo. El mismo espíritu de Lucifer que organizó a hombres religiosos llamados fariseos para que mataran al Hijo de Dios, está organizando a religiosos para matar y asesinar a cristianos en diferentes partes del mundo.

Es el espíritu de Satanás que odia a Cristo y a los cristianos. Lo que ves ahora es una mera continuación de la crucifixión del Hijo de Dios. Cuando Saulo persiguió a cristianos y mató a creyentes, Jesús se le apareció y le preguntó. «¿Por qué me persigues?». Cuando matas a cristianos, ¡estás persiguiendo a Cristo en persona!

Satanás ha utilizado hombres religiosos para matar, robar y destruir en el nombre de la religión.

Uno de los pecados más brutales de Satanás es el pecado de asesinar. El pecado de asesinar es una de las actividades más infames de un demonio. Posiblemente no comprendas lo infame que es el pecado de asesinar, hasta que te hayas topado con el asesinato sin sentido de una persona inocente. El diablo fue arrojado desde el cielo por ser asesino. Satanás ha inspirado a un número incalculable de personas para que se vuelvan asesinas. El diablo en persona inspira a la gente para que se vuelvan asesinos. Cada vez que observas un incremento en asesinatos, asaltos a mano armada y terrorismo, estás viendo un incremento de la actividad satánica. Mira lo que le pasó a Job:

Dijo Jehová a Satanás: He aquí, todo lo que tiene está en tu mano; solamente no pongas tu mano sobre él. Y salió Satanás de delante de Jehová.

Y un día aconteció que sus hijos e hijas comían y bebían vino en casa de su hermano el primogénito, y vino un mensajero a Job, y le dijo: Estaban arando los bueyes, y las asnas paciendo cerca de ellos, y acometieron los sabeos y LOS TOMARON, y MATARON A LOS CRIADOS A FILO DE ESPADA; solamente escapé yo para darte la noticia.

Aún estaba éste hablando, cuando vino otro que dijo: Fuego de Dios cayó del cielo, que QUEMÓ LAS OVEJAS y a los pastores, y los consumió; solamente escapé yo para darte la noticia.

Todavía estaba éste hablando, y vino otro que dijo: Los caldeos hicieron tres escuadrones, y arremetieron contra los camellos y SE LOS LLEVARON, y mataron a los criados a filo de espada; y solamente escapé yo para darte la noticia.

Entre tanto que éste hablaba, vino otro que dijo: Tus hijos y tus hijas estaban comiendo y bebiendo vino en casa de su hermano el primogénito; y un gran viento vino del lado del desierto y azotó las cuatro esquinas de LA CASA, LA CUAL CAYÓ sobre los jóvenes, y murieron; y solamente escapé yo para darte la noticia.

Job 1:12-19

La historia anterior es una revelación asombrosa del poder satánico detrás de robos, muertes, asesinatos y destrucción. Tan pronto como a Satanás se le permitió entrar en la vida de Job, varias cosas sucedieron en el área física. Si eres espiritual, sabrás que estos acontecimientos fueron causados por Satanás y otros poderes demoniacos.

a. *Robo y asalto a mano armada:* Las ovejas y burros de Job fueron robados por los sabeos armados.

b. *Asesinato:* Los siervos de Job fueron asesinados.

c. *Incendio:* Los siervos y las ovejas de Job fueron quemados.

d. *Destrucción de su transporte comercial:* Los camellos de Job fueron robados y los criados fueron asesinados.

e. *Destrucción de propiedad:* La casa del hijo mayor de Job se colapsó.

f. *Pérdida financiera:* Los negocios de Job fueron destruidos.

g. *Tragedia familiar:* Los hijos de Job fueron asesinados.

Todos los ataques sobre tu vida que involucren robo, muerte y destrucción los ocasionan el diablo y sus agentes. Dedicar tiempo a atar poderes demoniacos y destruir sus planes te protegerá de semejantes ataques malignos.

Los hombres que andan robando, matando y destruyendo por todos lados, viven a la imagen de Satanás y se inspiran en el mismo diablo.

Los hombres poseídos por demonios no tienen piedad ni compasión de las personas que perjudican. Sus corazones despiadados revelan la presencia de oscuridad y de diablos.

El ladrón no viene sino para HURTAR y MATAR y DESTRUIR; yo he venido para que tengan vida, y para que la tengan en abundancia.

Juan 10:10

Cuando lidias con ladrones, asesinos y destructores, estás lidiando con el mismo Satanás. Cuando permites que ladrones y destructores prosperen cerca de ti, estás permitiendo que florezca la actividad demoniaca. Es un grave error permitirles acceso a ladrones y asesinos. Lidia con el diablo que hay en tu vida lidiando como es debido con ladrones, asesinos y destructores.

El diablo viene a robar, a matar y a destruir, pero Jesús viene a dar vida. ¿Puede Satanás afectar las circunstancias de tu vida? Por supuesto que puede. Hay suficiente evidencia en la Biblia para mostrar que Satanás puede, y lo hace, influir en las circunstancias de esta vida.

Cuando Satanás altera circunstancias, es para hacerlas desfavorables, difíciles y complicadas para ti. La mayoría de los cristianos no se dan cuenta de que Satanás está involucrado en manipular situaciones y circunstancias. Cada vez que hay muchos robos, matanzas y destrucción, puedes estar seguro de que los demonios andan sueltos.

Un día, vi a un diablillo espiritual sentado en la protección a prueba de ladrones de mi ventana. Era un diablillo grande que no podía pasar por los agujeros pequeños. Yo me sobresalté porque me di cuenta de que esa criatura estaba tratando de entrar a mi cuarto, pero había sido obstaculizada. Cuando tus ojos sean abiertos, verás muchas criaturas intentando hacer varios tipos de maldad en tu contra. Estas criaturas existen en el ámbito espiritual y están tratando de fastidiarte.

Satanás pidió permiso para atacar a Job, y le creó una serie de circunstancias y acontecimientos que afectaron terriblemente la vida de Job. Cada una de las cosas que le sucedieron a Job fue un suceso en lo natural, pero orquestado por Satanás. Si Satanás los pudo orquestar en el tiempo de Job, entonces puede orquestar acontecimientos similares en el mundo de hoy. Nadie debería decirme que Satanás no tiene parte en las circunstancias de la vida. Satanás puede manipular circunstancias en contra de tu vida de una manera infame. Quiero que observes todas las cosas diferentes que Satanás orquestó. Todos son acontecimientos que parecen naturales pero son manipulados por demonios.

1. Satanás ocasionó la muerte de los hijos de Job.

2. Satanás organizó el asesinato de los criados y trabajadores de Job. Satanás es asesino y el autor de todo tipo de asesinato. La nación que tiene muchos asesinatos, tiene una presencia fuerte de Satanás.

3. Satanás organizó a ladrones sabeos para que atacaran el comercio de bueyes y asnas de Job.

4. Satanás organizó a ladrones caldeos para que atacaran a los camellos, el sistema de transporte de Job. Todos los camellos fueron robados, y Job se quedó sin transporte.

5. Satanás provocó fuego para quemar el negocio de cría de ovejas de Job, y para matar a los trabajadores.

6. Satanás orquestó e inició problemas financieros en la vida de Job al iniciar un fuego que quemó sus negocios.

7. Satanás dispuso de un gran viento o tormenta para derribar la casa de Job. Satanás alteró la naturaleza y el clima con el fin de destruir a Job.

8. Satanás ocasionó el colapso de la casa de Job. Satanás atacó físicamente el hogar del siervo de Dios, haciendo que colapsara.

9. Satanás ocasionó la muerte de los hijos de Job en un accidente anormal cuando la casa de su hijo mayor se colapsó.

10. Satanás orquestó los funerales de muchas personas en la vida de Job. Murieron sus criados, sus hijos y sus seres queridos. Job no tuvo otra opción que organizar múltiples funerales.

11. Satanás ocasionó que Job desarrollara una enfermedad grave.

Estas enfermedades crónicas que no matan pero hostigan, intimidan asustan y amenazan la vida de las personas son infamias que el diablo instiga. Generalmente, el diablo ocasiona las enfermedades. Pero hay un tipo de circunstancias en las que la presencia de una enfermedad amenazante intimida a la persona considerablemente. No es fácil estar bajo amenaza de muerte. Por eso, estar en el pabellón de la muerte, esperando morir en cualquier momento, es una experiencia terrible.

En la actualidad, hay muchas personas que luchan bajo la fatídica amenaza de enfermedad y muerte. Esta circunstancia es ocasionada por Satanás. Esto es lo que Satanás le hizo a Job. Sin embargo, Job no murió por la enfermedad a la que Satanás lo expuso. Dios lo estaba protegiendo, y verdaderamente fue protegido contra la muerte.

Queman un centro nocturno

Recuerda siempre que Satanás puede alterar las circunstancias para poder oponerse a ti, asustarte y al final destruirte.

Hubo un pastor que batallaba para ministrar en su propia iglesia. El ambiente de la iglesia estaba muerto, y quien predicaba ahí, batallaba para fluir y ministrar. Los ministros que los visitaban también luchaban para fluir, y nadie disfrutaba ministrar ahí.

El pastor de la iglesia decidió aguardar al Señor respecto al ambiente de su iglesia. El séptimo día de su ayuno, él estaba de rodillas en la plataforma aproximadamente tres pies atrás del púlpito. Cuando miró hacia arriba, directo sobre el púlpito, el techo había desaparecido. Sentado en las vigas del techo, directo sobre el púlpito, estaba un espíritu enorme que parecía mandril.

Él pastor le dijo a la criatura: «Vas a tener que bajarte». El espíritu retrocedió como si no quisiera obedecer.

Entonces le gritó: «¡Tú! ¡Bájate en el nombre de Jesús!». Esa criatura cayó sobre el púlpito y luego dio un brinco al piso.

Después el pastor le dijo al espíritu maligno: «Sal de aquí». La criatura no dijo nada, pero miró al pastor como si dijera: «No quiero».

«Solo márchate de aquí en el nombre de Jesús», dijo el pastor. El mandril se apresuró a bajarse de la plataforma y el pastor avanzó justo atrás de él. Daría cuatro o cinco pasos y se detuvo a mirar al pastor, casi suplicando. No quería moverse hasta que el pastor dijo: «No. Sigue avanzando en el nombre de Jesús».

Continuaron por el pasillo, deteniéndose cada cuatro o cinco pasos. Al final, el pastor se adelantó al espíritu y detuvo la puerta. Aun así, el espíritu no se iba hasta que el pastor dijo: «¡En el nombre de Jesús!». Finalmente, el espíritu salió por la puerta de mala gana. Bajó por los escalones de la iglesia y llegó a la mitad del patio de la iglesia. Se detuvo otra vez, y el pastor tuvo que ordenarle que continuara y saliera de las instalaciones.

«En el nombre de Jesús, te ordeno que salgas de estas instalaciones y que nunca más regreses». La criatura cruzó la calle corriendo y se alejó un cuarto de milla de la iglesia.

El pastor luego describió que observó que el espíritu se metió corriendo en un club nocturno. Para asombro suyo, el club nocturno se incendió la siguiente noche. Es asombrosa la manera en que los espíritus malignos pueden manipular circunstancias y provocar incendios y destrucción. Si eres una persona espiritual, necesitas comprender la actividad de los espíritus malignos, y atar constantemente su poder para que no se aprovechen de ti o de tus circunstancias.

Este pastor posteriormente testificó que el ambiente en su iglesia cambió por completo después de ese incidente. Los ministros visitantes empezaron a comentar sobre cómo el ambiente de su iglesia estaba radicalmente transformado.

Es importante orar y obstaculizar todos los ataques del enemigo que se presenten en forma de robo, muerte o destrucción. ¡Ata las obras y actividades de los asaltantes armados que haya en tu vida! ¡Maldice las obras de los robos que haya en tu vida! Maldice el poder de la muerte, homicidio y destrucción que haya en tu vida.

A partir de hoy, queda anulado todo poder de maldad en tu contra. ¡Asaltantes armados, ladrones y asesinos quedan bloqueados en el nombre de Jesús! Todo ser malvado que tiene su mirada en tu casa y planea atacarte, ¡queda ciego en el nombre de Jesús! Tus enemigos son arrasados por el viento del oriente. Ya no los encontrarás. ¡Los homicidas y asesinos quedan aniquilados en el nombre de Jesús!

CAPÍTULO 19

Los pecados de un diablo: Hacer Caer a Los Cristianos

El Hijo del Hombre enviará a sus ángeles, y recogerán de su reino a TODOS LOS QUE SON PIEDRA DE TROPIEZO y a los que hacen iniquidad; y los echarán EN EL HORNO DE FUEGO; allí será el llanto y el crujir de dientes.

Mateo 13:41-42 LBLA

«¡Uno de vosotros es diablo!».

¿Cómo puedes saber cuando alguien es diablo?

Cuando alguien es diablo, se comporta exactamente como el diablo y se convierte en piedra de tropiezo, haciendo caer a los cristianos, tal y como lo hace el diablo.

Uno de los pecados más devastadores de Satanás es el pecado de hacer caer a la gente. El pecado de ser una piedra de tropiezo es una de las actividades más agobiantes de un diablo. Posiblemente no comprendas lo infame que es el pecado de ser una piedra de tropiezo hasta que te hayas topado con alguien que deliberadamente te haga caer de donde estabas.

El diablo fue despedido por ser destructor. Satanás ha inspirado a un número incalculable de personas para que sigan su ejemplo de ser destructor. El diablo en persona inspira a la gente para que sean piedras de tropiezo a fin de hacer que otros cristianos caigan. Hay hombres y mujeres que son enviados a tu vida para hundirte. Se inspiran fuertemente en el diablo para andar en los mismos pecados en los que el mismo Satanás maniobra.

El ladrón no viene sino para hurtar y matar y destruir; yo he venido para que tengan vida, y para que la tengan en abundancia.

Juan 10:10

Satanás tiene muchos planes funestos para los cristianos y las iglesias. Ha maquinado muchos enredos y trampas terribles para los hombres de Dios. Si miras a tu alrededor, verás el triste final de muchos grandes hombres de Dios. Sé que en una ciudad varios pastores terminaron como homosexuales, fornicarios, pederastas, criminales y prisioneros. Todas estas personas fueron engañadas y quedaron atrapadas por maquinaciones y planes demoniacos.

> **...para que Satanás no gane ventaja alguna sobre nosotros; pues no ignoramos sus maquinaciones.**
>
> **2 Corintios 2:11**

Es importante reconocer qué ideas tan extremas y malvadas tiene Satanás para ti solo por estar sirviendo a Dios. Ve lo que le hizo a Job solo porque Job era un siervo de Dios firme, y tendrás idea de la clase de maquinaciones retorcidas que Satanás tiene para los que aman al Señor.

Cuando un hombre entrena a un joven para que use su ano para tener sexo, ha estado inspirado por Satanás para destruirlo y convertirlo en homosexual. Recuerda que el diablo es especialista en destruir las vidas de las personas. Cuando un hombre entra en la vida de una mujer y la adiestra en cuestiones sexuales de modo que ella pierde su pureza, su inocencia y su corazón confiado, él ha destruido a otra virgen.

¡Cuídate de las personas que hacen que los hombres de Dios caigan en pecado! Son agentes de Satanás y andan en los pasos y esquemas del mismo Satanás. ¡Cuídate de las mujeres que provocan que los hombres caigan en pecados sexuales! Son enviadas por Satanás para destruir las vidas de hombres de Dios y de jóvenes y puros.

> **Ahora pues, hijos, oídme,**
>
> **Y estad atentos a las razones de mi boca.**
>
> **No se aparte tu corazón a sus caminos;**
>
> **No yerres en sus veredas.**
>
> **Porque a muchos ha hecho caer heridos,**
>
> **Y aun los más fuertes han sido muertos por ella.**
>
> **Camino al Seol es su casa,**
>
> **Que conduce a las cámaras de la muerte.**
>
> **Proverbios 7:24-27**

Cuídate de los que andan por ahí diciendo mentiras para desacreditar, chantajear y manchar la reputación del siervo de Dios. Jesús hizo una advertencia, y maldijo a todas las piedras de tropiezo que ocasionan que la gente caiga. «Pero al que haga tropezar a uno de estos pequeñitos que creen en mí, mejor le sería que le colgaran al cuello una piedra de molino de las que mueve un asno, y que se ahogara en lo profundo del mar» (Mateo 18:6 LBLA).

Una piedra de tropiezo ocasiona que una persona buena tropiece y caiga al piso de manera inesperada y lastimosa. Si tú ocasionas que un compañero cristiano o un ministro del evangelio caiga de su lugar de honor, eres una piedra de tropiezo. Si humillas al siervo de Dios, ocasionando que caiga, eres una piedra de tropiezo.

¡No olvides la maldición que Jesús tiene para las piedras de tropiezo!

El Hijo del Hombre enviará a sus ángeles, y recogerán de su reino a TODOS LOS QUE SON PIEDRA DE TROPIEZO y a los que hacen iniquidad; y los echarán EN EL HORNO DE FUEGO; allí será el llanto y el crujir de dientes.

Mateo 13:41-42 LBLA

CAPÍTULO 20

Los pecados de un diablo: Ser Serpiente

Y LA SERPIENTE ERA MÁS ASTUTA que cualquiera de los animales del campo que el Señor Dios había hecho. Y dijo a la mujer: ¿Conque Dios os ha dicho: "No comeréis de ningún árbol del huerto"?

Génesis 3:1

«¡Uno de vosotros es diablo!».

¿Cómo puedes saber cuando alguien es diablo?

Cuando alguien es diablo, se comporta exactamente como el diablo y su naturaleza se vuelve serpentina, ¡tal como la del diablo! Una serpiente es una criatura silenciosa, ponzoñosa y nada comunicativa. ¡Cuídate de la gente que no se comunica! ¡Cuídate de la gente que se sienta en silencio en las reuniones, y nunca tiene nada que decir o contribuir!

Uno de los pecados más angustiantes de Satanás es el pecado de convertirse en una sigilosa y mortal criatura de camuflaje, de emboscadas y de trampas mortales. El pecado de convertirse en serpiente es una de las maniobras peligrosas del diablo. Todos nosotros sabemos que una serpiente genera un gran daño a la vida humana.

Hasta que te hayas topado con la existencia sigilosa de una víbora mortal como una mamba negra, no puedes comprender lo terrible que es que una víbora esté cerca de ti.

El diablo ha sido expulsado del cielo porque no hay lugar para víboras en el cielo. Satanás ha inspirado a un número incalculable de personas para que sigan su ejemplo y se vuelvan silenciosas, sigilosas y nada comunicativas. Tales personas tienen muchas cosas en su mente, ¡pero nunca hablan!

El diablo en persona inspira a la gente para que se vuelvan como serpientes. Cada vez que veas que el número de hombres silenciosos, sigilosos y nada comunicativos aumenta cerca de ti, debes estar consciente de que te está rodeando un grupo de serpientes.

Veamos lo que Satanás nos ha hecho al acercarse a nosotros en forma de serpiente.

1. Satanás se transformó en serpiente para atacar a Adán y Eva.

Satanás se transformó en serpiente para poder lanzar ataques mortales sobre el pueblo de Dios. En la historia de Adán y Eva, se describe a Satanás como serpiente. Muchas personas se han preguntado si el diablo era una serpiente literal o una serpiente espiritual. Los seres humanos generalmente les tienen aversión a las víboras, y es más apropiado llamar a Satanás serpiente.

Si Satanás es una serpiente literal o no, en realidad no importa. Una vez que a Satanás se le llama serpiente, debemos aprender qué significa para nosotros pelear contra una serpiente. Pelear contra el diablo y vencerlo es literalmente lo mismo que pelear contra una serpiente.

2. Satanás se transformó en serpiente para tender trampas, poner emboscadas y sorprender a los hijos de Dios.

Y LA SERPIENTE ERA MÁS ASTUTA que cualquiera de los animales del campo que el Señor Dios había hecho. Y dijo a la mujer: ¿Conque Dios os ha dicho: "No comeréis de ningún árbol del huerto"?

Génesis 3:1 LBLA

Pelear contra una serpiente es pelear contra una criatura especialista en camuflaje y emboscadas. Las sorpresas demoniacas proceden de la propia naturaleza de la serpiente. Muchos problemas que se presentan en nuestra vida, se presentan en forma de sorpresas. La vida de las personas cambia porque son incapaces de recuperarse de las sorpresas demoniacas.

Las actividades demoniacas siempre incluyen sorpresas. La sorpresa de un asalto a mano armada, la sorpresa de una muerte repentina, la sorpresa de una enfermedad repentina, la sorpresa de un cambio repentino en la situación financiera, la sorpresa de un cambio de gobierno pueden desestabilizar a una persona por el resto de su vida. ¡Las víboras son especialistas en sorpresas y emboscadas!

La gente no se da cuenta de que muchas víboras en realidad viven bajo tierra. Por eso, para asombro de todos, las víboras, aparecen misteriosamente en casas y jardines. La gente pregunta: «¿De dónde salió esta víbora?». ¡Una vez vi una víbora en mi casa! No podía imaginarme de dónde podría haber salido. Las víboras son sigilosas y constantemente nos dan sorpresas.

Para lidiar exitosamente con la serpiente que hay en tu vida, debes prepararte para posibles sorpresas. Debes pensar detenidamente y ver cuál sería tu respuesta si recibieras una sorpresa demoniaca. Solo cuando estás preparado, las sorpresas no tienen un efecto devastador.

¡Sorprende al diablo dándole una sorpresa por cada sorpresa! Muéstrale que estás preparado a la vuelta de cada esquina. ¡Persiste a tiempo y fuera de tiempo! Ora todos los días y comprométete con Dios. Muéstrale que lo estabas esperando. Ahuyenta a Satanás en el nombre de Jesús, y él lo pensará dos veces darte semejantes sorpresas.

3. Satanás se transformó en serpiente para atacar al pueblo de Dios en todas las áreas de la vida.

Las víboras se encuentran en todas partes ¡y los diablos también! No hay lugar en la tierra donde no se encuentren víboras. Encontrarás víboras hasta en los lugares más decentes y desarrollados del mundo. Las víboras se encuentran en el bosque, en la sabana, en los llanos, en los ríos, en el mar, en las montañas en la nieve y en desiertos secos y áridos. ¿Por qué sucede esto? El Señor dijo: «Sobre tu pecho andarás».

Y Jehová Dios dijo a la serpiente: Por cuanto esto hiciste, maldita serás entre todas las bestias y entre todos los animales del campo; SOBRE TU PECHO ANDARÁS, y polvo comerás todos los días de tu vida.

Génesis 3:14

Condenada a andar sobre su pecho, la serpiente perdió sus patas y ha estado escabulléndose para entrar en cada escondrijo y recoveco de este mundo. Las serpientes son los únicos animales salvajes que se encuentran en áreas civilizadas del mundo. No encontrarás un león en un área suburbana, pero de seguro encontrarás una serpiente. Pelear contra la serpiente es una pelea contra una presencia masiva de diablos.

Es importante que sepas que espíritus demoniacos están actuando contra ti en tu hogar, en tu matrimonio, en tu negocio, en tus relaciones, en tu auto, en tu computadora, en tu teléfono y de cada manera imaginable.

Encuentras actividad demoniaca entre los diáconos, el coro, los administradores, los pastores, los asociados, los vigilantes, los cantores, los empresarios y los choferes de tu ministerio. Si tus ojos pudieran ser abiertos, podrías verlos en todas partes.

Una vez tuve una visión en la que el Señor me hizo consciente de la presencia de diablos en todo mi contorno. Yo estaba acostado en un cuarto que tenía muchas puertas y ventanas. Había cortinas que colgaban alrededor de todo el salón. En la visión, se me ocurrió ir a ver atrás de las cortinas. En lugar de dirigirme hacia las cortinas, en cierto modo me asomé debajo de una cortina, y para mi total asombro, al pie de la cortina había una víbora gruesa. La víbora no era muy visible porque estaba tapada con la parte más baja de la cortina.

Luego continué viendo el resto de las cortinas. Para mi asombro, había víboras en la base de todas las cortinas del cuarto. Todas las víboras estaban dormidas y todas las víboras eran criaturas gruesas, mortales, venenosas. Yo estaba aterrorizado porque estaba en un cuarto con muchas serpientes dormidas. Siempre me dan escalofríos cuando pienso en esa visión.

Debido a que los diablos se pueden encontrar en toda circunstancia, es importante estar consciente de su presencia para que te protejas de ellos. Debes atarlos constantemente e inhibir su actividad en tu vida. Debes crear circunstancias en las que los demonios no puedan operar con libertad. Debes hablar en contra de ellos porque tus palabras tienen poder.

4. **Satanás se transformó en serpiente para alimentarse de carne humana.**

Y Jehová Dios dijo a la serpiente: Por cuanto esto hiciste, maldita serás entre todas las bestias y entre todos los animales del campo; sobre tu pecho andarás, Y POLVO COMERÁS todos los días de tu vida. [...]

Con el sudor de tu rostro comerás el pan hasta que vuelvas a la tierra, porque de ella fuiste tomado; PUES POLVO ERES, y al polvo volverás.

Génesis 3:14, 19

Condenada a comer polvo, la serpiente ha estado alimentándose de polvo, incluyendo carne de seres humanos, la cual también es polvo. Solo imagina a una víbora tomando su alimento. Mientras la víbora empuja a su presa con su nariz, la muerde, escupe en ella, la mastica y la traga. Este proceso de la serpiente cuando se alimenta de carne (polvo) es lo que hace daño a los cristianos. Cuando la serpiente se alimenta de carne (polvo), la provoca, la exacerba, la estimula, la incita y la envenena.

Los demonios excitan, incitan, exacerban y estimulan la carne de muchas personas. Cuando la serpiente que se está alimentando estimula a la carne, esta desarrolla apetitos inusuales exacerbados y deseos anormales. Hay muchas personas que tienen pasiones inusuales exacerbadas. Por ejemplo, constantemente necesitan tener sexo con múltiples compañeros. Algunas personas también tienen deseos sexuales anormales: hombres ardiendo de pasión hacia otros hombres y mujeres ardiendo de pasión hacia otras mujeres.

La presencia de espíritus malignos aviva y crea estos deseos diabólicamente. Muchas personas tienen deseos y apetitos incontrolables por la pornografía y la masturbación. Estos apetitos anormales son los deseos normales que han sido estimulados, envenenados, incitados y exacerbados por la serpiente que «está presionando su nariz» en ellos.

Es importante reconocer el poder y la actividad de las serpientes que se alimentan de nuestra carne. Es importante dar un golpe a la raíz de estos apetitos anormales de la carne. No debes aceptar como normales los deseos y pasiones anormales. ¡Debes aceptar que son anormales! Debes comprender qué está sucediendo como resultado de que la serpiente se esté alimentando de tu carne.

¡Resiste al diablo! No le hagas un hogar diciendo que ¡lo anormal es normal!

Cómo destruir a la serpiente

Es muy peligroso cortar la cola de una víbora o golpearla en medio. Esto solo suscita que un animal salvaje empiece a pelear por su vida. La manera de matar a una serpiente es golpeándola en la cabeza. ¡Debes pelear con el diablo de la manera correcta! Debes pelear con el diablo con el nombre de Jesús, la sangre de Jesús y la cruz de Jesucristo. Estas son las armas que se te han dado para que pelees contra el diablo. No puedes pelear contra el diablo con donativos de naranjas, mandarinas y barras de pan. No puedes pelear contra el diablo con tus ideas de negocios o tus discursos motivacionales ingeniosos. Al diablo se le destruye con la sangre de Jesús y con la cruz, las cuales aseguraron tu salvación.

De forma misteriosa, Dios prometió que la mujer dará el golpe victorioso contra la serpiente. Muchas soluciones que los hombres desarrollan, solo hacen que los problemas empeoren. Por ejemplo, los hombres están tratando de resolver el problema de drogas legalizándolas. Se han peleado guerras para resolver problemas y para echar fuera tiranos. Muchos de estos tiranos solo fueron reemplazados con hombres peores y más malvados. Al reino de Hitler en Europa lo reemplazó el reino de Stalin y el comunismo en Alemania y Europa oriental. Muchos se sorprenden cuando a los tiranos los reemplazan líderes más malvados y asesinos.

Las cosas se complican más cuando el hombre trata de matar a la serpiente de forma equivocada. La semilla de la mujer, la cual es Jesucristo, es la única solución que destruirá a la serpiente. ¡Cristo es el Camino, la Verdad y la Vida! ¡Cristo en ti es la esperanza de la gloria! Por eso es un insulto para Cristo cuando los pastores se convierten en maestros de soluciones seculares humanas que no tienen poder alguno.

Un pastor es alguien enviado para presentar a Cristo y la cruz como la solución a todos los problemas de la humanidad. Es asombroso que hombres de Dios hagan a un lado la predicación de la cruz y aboguen por soluciones humanas.

Si la labor social y las organizaciones no gubernamentales fueran la solución a los problemas del hombre, entonces ¿por qué Cristo tuvo que venir a morir en la cruz? Si la excavación de pozos de perforación, la construcción de escuelas profesionales, la construcción de orfanatos, la construcción de baños, y el cuidado de ciegos, sordos y mudos fuera suficiente para salvar a la humanidad *¿por qué entonces Jesús vino a morir por nosotros en la cruz?*

¡No somos salvos por la labor social!

¡No somos salvos por la bondad humana y la amabilidad humana!

Es importante dar un golpe a la serpiente en la cabeza y no en la cola. Mostrar bondad, compartir comida, tener fiestas para los pobres no salvará a las personas de sus pecados. Jesús murió por nuestros pecados porque no había otra manera de ser salvos. ¡Sin derramamiento de sangre no hay perdón de pecados!

De manera misteriosa y profética, las mujeres causarán la destrucción del diablo. Hoy en día, a las mujeres se les teme de manera considerable como la causa de muchos males. Son vistas como la fuente de tentaciones y lujuria que provoca que los hombres caigan en inmoralidad, lascivia y adulterio. Sin embargo, las Escrituras predicen lo opuesto. Por medio de la mujer se generará una gran victoria contra la serpiente.

Dios ha declarado que Él usará a la mujer de manera misteriosa para combatir y destruir a Satanás. Debido a esta profecía, es importante que seas receptivo al papel de las mujeres en tu vida y ministerio. En tu lucha contra el enemigo, debes encontrar una manera de involucrar a las mujeres en forma segura.

Tu esposa puede ser una mujer clave que sea usada para ayudar a destruir a tu enemigo. Dios levantará a otras mujeres que desempeñarán papeles importantes en tu vida para causar la destrucción de varios enemigos que hay en tu vida.

¿Por qué las mujeres deben ser espirituales?

Por eso las mujeres deben ser particularmente espirituales. Las mujeres deben ser espirituales si quieren repeler los golpes e invasiones satánicas que el diablo ocasiona en sus vidas. Varias advertencias en la historia nos muestran que Satanás deliberadamente tiene como objetivo a las mujeres, e introduce mucha maldad en el mundo por medio de ellas. Examinemos algunos de los ataques famosos del pasado cuyo objetivo fue la mujer.

Ataque 1 contra las mujeres: La invasión de Satanás a la raza humana tuvo como objetivo a la mujer. Observarás que la serpiente no le habló a Adán para nada. Ignoró por completo a Adán en el huerto y tuvo una conversación personal con Eva. La confesión personal de Eva fue: «La serpiente me engañó». Esto significa que la serpiente engatusó, cautivó, sedujo y hechizó a la mujer. Satanás no podía hacerle semejantes cosas al hombre, así que se las hizo a la mujer.

Ataque 2 contra las mujeres: La invasión a este mundo por un grupo de ángeles caídos que tuvieron sexo con mujeres, fue otro ataque que tuvo como objetivo a las mujeres. Invadieron a las mujeres a través de la fornicación. Los gigantes y otras criaturas malignas fueron el producto de este ataque maligno.

Ataque 3 contra las mujeres: La desestabilización de este mundo y la destrucción de la paz del mundo es un golpe satánico que ocurrió por medio de una mujer. Por medio de la influencia y el consejo de Sara, Abraham engendró a Ismael, el contrincante de

Isaac. En la actualidad, grandes tensiones han sido introducidas en nuestro mundo por medio del conflicto a punto de estallar entre Isaac e Ismael.

Ataque 4 contra las mujeres: En el libro de Apocalipsis, ves cómo la mujer es el blanco del dragón porque sabe que ella será la fuente de su destrucción. Una mujer le genera un gran daño al diablo por dos razones. La primera razón es que profética y misteriosamente ¡ella es la destructora del diablo! La segunda razón por la que la mujer es un peligro para el diablo es que ¡dará a luz a hombres que puedan combatir al diablo!

Y cuando vio el dragón que había sido arrojado a la tierra, persiguió a la mujer que había dado a luz al hijo varón. […] Y la serpiente arrojó de su boca, tras la mujer, agua como un río, para que fuese arrastrada por el río.

Apocalipsis 12:13, 15

CAPÍTULO 21

Los pecados de un diablo: Instalarse en Humanos y Poseerlos

Luego le llevaron a Jesús a un hombre ciego y mudo que ESTABA POSEÍDO por un demonio. Jesús sanó al hombre para que pudiera hablar y ver.

Mateo 12:22 NTV

Entonces los que habían visto lo sucedido, les contaron a los otros lo que había ocurrido con EL HOMBRE POSEÍDO por los demonios y con los cerdos.

Marcos 5:16 NTV

Cuando llegó la noche, luego que el sol se puso, le trajeron todos los que tenían enfermedades, y A LOS ENDEMONIADOS.

Marcos 1:32

«¡U no de vosotros es diablo!».

¿Cómo puedes saber cuando alguien es diablo?

Cuando alguien es diablo, se comporta exactamente como el diablo y entra en las iglesias, en las familias y en las naciones, tal y como lo hace el diablo, y las destruye desde dentro.

Uno de los pecados más desafortunados de Satanás es el pecado de entrar en los seres humanos, instalarse en ellos, y vivir en ellos. ¡Es un crimen entrar en los hogares en los que no eres bienvenido! También es un pecado entrar en una casa y destruir todo lo que hay ahí. Es un crimen entrar en un hogar y matar, herir y afligir a los dueños de esos hogares. En las tres distintas Escrituras antes mencionadas, puedes ver cómo Satanás entró en un hombre y lo poseyó, y también poseyó a varios seres humanos. Este es el mayor crimen de maldad que pueda jamás cometer el diablo en contra de la raza humana.

Hasta que te hayas topado con una persona poseída por un demonio, no puedes entender lo infame que es el pecado de meterse, instalarse y vivir en un ser humano.

Satanás ahora ha inspirado a muchas personas para seguir su ejemplo y meterse de manera secreta en iglesias y hogares para destruirlos. El diablo en persona inspira a la gente para que se unan al liderazgo de una iglesia para desestabilizarla.

Generalmente, expulsar a una sola persona del liderazgo de la iglesia terminará con la confusión, la división y la infelicidad de una iglesia. Esto es porque esa persona fue sembrada por el diablo, y anda en los pecados de Satanás para destruir la iglesia desde dentro.

Cómo se instala Satanás en humanos

De manera asombrosa, los seres humanos han recibido una lenta pero segura impartición de la naturaleza demoniaca. Hay varios pasos que se han dado a través de los años, los cuales han ocasionado que los humanos compartan los pecados de Satanás. Los seres humanos poco a poco han adoptado la naturaleza de Satanás conforme los demonios los han buscado, oprimido, poseído, además de haberle impartido su naturaleza al hombre. Recorramos las etapas que han conducido a esta gran maldad en los hombres.

1. LOS DEMONIOS BUSCAN A LOS SERES HUMANOS PARA DESTRUIRLOS.

Sed sobrios, y velad; porque vuestro adversario el diablo, como león rugiente, anda alrededor BUSCANDO A QUIEN DEVORAR;

1 Pedro 5:8

Sin tú saberlo, eres la misión del diablo. Él te está buscando y está buscando destruirte y terminar con tu vida. Pero el poder de Dios se está haciendo una realidad en tu vida, y te está liberando de todo tipo de emboscadas y trampas.

El diablo ha decidido comportarse como león. Su único sueño es devorarte a ti y devorarme a mí. ¡Piensa en esto! ¿No deberíamos nosotros de igual manera invertir tiempo localizándolo para derramar la sangre de Jesús sobre él? Ya es hora de que te levantes y domines en medio de tus enemigos. Es un concurso de poder, y tú debes exhibir el mayor poder sobre y contra el poder del enemigo. ¡Poder contra poder! Ya es hora de destruir al león que se la pasa persiguiéndote.

Jehová dijo a mi Señor:

Siéntate a mi diestra,

Hasta que ponga a tus enemigos por estrado de tus pies.

Jehová enviará desde Sion la vara de tu poder;

DOMINA EN MEDIO DE TUS ENEMIGOS.

Tu pueblo se te ofrecerá voluntariamente en el día de tu poder,

En la hermosura de la santidad.

Desde el seno de la aurora

Tienes tú el rocío de tu juventud.

Salmos 110:1-3

2. LOS DEMONIOS OPRIMEN A LOS SERES HUMANOS.

Cómo Dios ungió con el Espíritu Santo y con poder a Jesús de Nazaret, y cómo éste anduvo haciendo bienes y sanando a todos LOS OPRIMIDOS POR EL DIABLO, porque Dios estaba con él.

Hechos 10:38

Muchas personas están oprimidas por demonios. Muchas de las aflicciones de los seres humanos son ocasionadas por demonios. Casi toda enfermedad e indisposición es ocasionada por demonios. Una indisposición es «falta de disposición». Cualquier cosa que te ocasione una «falta de disposición» es una indisposición.

Puede ser una indisposición financiera, una indisposición física o incluso una indisposición marital. Los demonios trabajan duro para oprimir a la creación de Dios. Verdaderamente son espíritus malvados que no tienen buenas intenciones hacia la raza humana.

Conforme los diablos oprimen a los seres humanos, los seres humanos se vuelven más débiles y más vulnerables. Cuando los seres humanos se debilitan en su resistencia a los diablos, al final llegan a estar completamente poseídos.

3. LOS DIABLOS POSEEN A LOS SERES HUMANOS.

Llegaron adonde estaba Jesús y, cuando vieron al que había estado POSEÍDO POR la legión de DEMONIOS, sentado, vestido y en su sano juicio, tuvieron miedo.

Marcos 5:15 NVI

Cada vez que un diablo posee a un ser humano, toma el control y hace lo que le place con ese ser humano. El resultado generalmente es la mayor clase de sufrimiento, humillación y muerte.

El gadareno desquiciado, quien estaba desnudo y vivía en el cementerio hiriéndose con piedras, es un buen ejemplo de alguien que fue totalmente poseído por el poder del diablo.

Cuando el diablo posee a una persona, esta persona vive una vida sin sentido. Todas sus acciones van contra la buena razón. Cuando el diablo posee a una persona, esta actúa como el mismo diablo.

Cuando el diablo posee a una persona, esta persona se vuelve un diablo viviente, movible, material. Jesús habló de Judas Iscariote y lo llamó diablo viviente movible, material. Jesús dijo: «¿No os he escogido yo a vosotros los doce, y uno de vosotros es diablo? (Juan 6:70)». Antes de que Judas se convirtiera en diablo, Satanás entró en él.

Observa las siguientes Escrituras. Después de que Satanás entró en Judas, se convirtió en diablo viviente.

Y ENTRÓ SATANÁS EN JUDAS, por sobrenombre Iscariote, el cual era uno del número de los doce;

Lucas 22:3

Jesús les respondió: ¿No os he escogido yo a vosotros los doce, y UNO DE VOSOTROS ES DIABLO?

Juan 6:70

4. LOS DIABLOS IMPARTEN SU NATURALEZA DE MALDAD A LOS SERES HUMANOS.

Cuando el espíritu inmundo sale del hombre, anda por lugares secos, buscando reposo, y no lo halla. Entonces dice: VOLVERÉ A MI CASA de donde salí; y cuando llega, la halla desocupada, barrida y adornada.

Entonces va, y toma consigo otros siete ESPÍRITUS PEORES que él, y entrados, moran allí; y el postrer estado de aquel hombre viene a ser peor que el primero. Así también acontecerá a esta mala generación.

Mateo 12:43-45

Muchos diablos se han instalado en seres humanos, y los consideran su hogar. Los arrendatarios son conocidos por destruir edificios y aportarles su naturaleza y su cultura. Por eso los propietarios no rentan sus casas a ciertas personas. Los propietarios se oponen a que ciertas personas de ciertas naciones y culturas se instalen en sus casas. He escuchado a propietarios declarar que nunca rentarían sus casas a ciertas personas de ciertos países.

También por este motivo, los propietarios reciben un depósito antes de que el arrendatario entre en la casa. Este depósito se usa para reparar los daños que el arrendatario le «aporte» a la casa.

Jesús nos enseñó que el diablo se va y regresa con otros siete «diablos arrendatarios». Cuando se aglomeran dentro de los humanos, estos diablos definitivamente aportan algo a los seres humanos.

Cualquiera que viva en una casa, algo le aporta a la casa en la que vive. Si es una persona descuidada, le aporta descuido a la casa. Si es una persona melancólica, le aporta orden a la casa. Estos espíritus inicuos vienen y encuentran la casa ordenada, barrida y adornada. Con la presencia de demonios inicuos, la casa es destruida gradualmente.

¡Los espíritus inicuos han aportado su maldad a sus anfitriones humanos! Ha habido una mezcla gradual de la naturaleza de espíritus inicuos con la naturaleza de seres humanos. ¡Paulatinamente, los seres humanos se han vuelto tan malvados como los diablos!

Desgraciadamente, la raza humana está contaminada y la están haciendo cometer exactamente los mismos errores que cometió Lucifer.

5. LOS DIABLOS TIENTAN A LOS SERES HUMANOS PARA QUE CAIGAN EN LOS MISMOS PECADOS DE MODO QUE RECIBAN EXACTAMENTE LA MISMA CONDENA.

Entonces Jesús fue llevado por el Espíritu al desierto, para ser tentado por el diablo.

Mateo 4:1

El diablo quiere que los seres humanos cometan los mismos pecados que él cometió, para que sean condenados con la misma condenación de Satanás.

¡La meta de Satanás es tentar y poner a prueba a los seres humanos que afirman estar sirviendo a Dios! Muchas cosas que experimentas simplemente son pruebas. Muchas de ellas las arman los diablos que buscan destruirte haciéndote caer. ¡Pero no caerás, en el nombre de Jesús!

Satanás busca bajarte a su nivel. Satanás te acusa aun cuando no tiene una base fáctica para su acusación. ¿Puedes imaginarte cómo te condenará cuando tenga una base real para acusarte? Satanás está buscando bajarte a su nivel para que seas condenado con la misma condenación del diablo.

No un neófito, no sea que envaneciéndose caiga EN LA CONDENACIÓN DEL DIABLO.

1 Timoteo 3:6

Satanás quiere que tú hagas lo que él hizo para que seas tan culpable como él. Cuando cometas los mismos errores que el diablo cometió, serás tan culpable como él. Cuando seas culpable, Satanás tendrá una razón legal para solicitar tu presencia en el infierno con él.

Por lo tanto, debes estar consciente de que cada uno de los pecados de Satanás se te ofrece hoy en charola de plata. Muchos cristianos andan en los pecados de Satanás y caen en la condenación que el diablo tiene. El diablo está verdaderamente condenado, ¡pero tú no! Si haces bromas con esta revelación, puede ser que un día andes en los pecados de Satanás y experimentes su condenación.

Conozco a muchas personas que se han comportado exactamente como el diablo y han llevado a sus iglesias la misma confusión, división y alboroto que Lucifer llevó al cielo.

¿Quieres ser «el diablo» y «el Satanás» de tu hogar y de tu iglesia? ¡En el nombre de Jesús, ya es hora de que obtengas discernimiento de los pecados de Satanás! ¡Por la gracia de Dios, nunca andarás en esos pecados!

El castigo de un diablo

Y el diablo que los engañaba fue **LANZADO EN EL LAGO DE FUEGO Y AZUFRE**, donde estaban la bestia y el falso profeta; y serán atormentados día y noche por los siglos de los siglos.

Apocalipsis 20:10

«¡Uno de vosotros es diablo!».

Entonces, ¿cuál es el castigo que Satanás recibirá por sus muchos pecados de separatismo, divisiones, asesinatos, tentar a cristianos, intentar humillar a Cristo, comenzar guerras y matar personas? ¿Cuál será el castigo de una persona que se comporta como el diablo?

Cuando alguien se comporta como el diablo, recibe exactamente el mismo tipo de castigo que el diablo recibió. Puedes observar a estas personas con atención, y verás que el fin de ellas es el mismo: aislamiento, oscuridad, degradación y destrucción.

Es importante saber cómo manejar a las personas que se comportan como el diablo. No lograr manejarlas debidamente ocasionará que sus poderes se incrementen y sus tendencias destructivas se multipliquen. Hay muchos pastores que tienen asociados y asistentes con rasgos satánicos. Es importante relacionarse debidamente con los pastores que exhiban rasgos satánicos.

Uno de los textos antiguos nos dice que si Lucifer no hubiera sido lanzado del cielo, ninguno de los ángeles habría sobrevivido a su engaño, politiquería y separatismo. Es evidente que debes aprender a castigar debidamente el comportamiento satánico.

En lugar de un despido inmediato, encuentras a algunos pastores ignorantes que más bien promueven a personas rebeldes que tienen tendencias separatistas. Quiero que estudies cada uno de estos castigos que Dios impuso a Satanás y sus ángeles caídos de modo que sepas lidiar debidamente con la rebelión que hay en tu vida y ministerio.

Cuando las personas se vuelven rebeldes, no se les debe dar acceso a la iglesia contra la que se han rebelado. Desgraciadamente, hay personas que abren las puertas de la iglesia a personas rebeldes, pensando que están caminando en amor. ¡Abrirle las puertas al diablo no es caminar en amor! ¡Es caminar en necedad! Cuando permites que personas rebeldes estén en el púlpito o incluso entren en las instalaciones, estás cometiendo un error. Nadie es más sabio que Dios. Si Dios lidió con la rebelión y el separatismo lanzándolos fuera, ¡tú debes hacer lo mismo!

Hay muchos castigos temporales que se le han impuesto al diablo y a los demonios. Sin embargo, su castigo definitivo se implementará al final.

Veamos ahora los diferentes castigos que Satanás y sus ángeles caídos van a tener que soportar por las muchas cosas que han hecho. Así es como debes castigar a la gente rebelde que hay en tu mundo. Debes lidiar con ellos exactamente de la misma manera que Dios lidió con Lucifer.

Cómo castigar a las personas desleales

1. Castígalas con despidos inmediatos.

Pero no prevalecieron, ni se halló ya lugar para ellos en el cielo. Y FUE LANZADO FUERA EL GRAN DRAGÓN, la serpiente antigua, que se llama diablo y Satanás, el cual engaña al mundo entero; fue arrojado a la tierra, y sus ángeles fueron arrojados con él.

Apocalipsis 12:8-9

¡Satanás fue cesado! Satanás fue derribado de su posición como ángel principal. Satanás fue despedido. ¡No oraron por él! ¡No le ofrecieron consejería! ¡No le dieron sugerencias! ¡No lo rehabilitaron! ¡Lo lanzaron fuera!

Este es el único trato para los separatistas desleales y rebeldes. Solo cuando eres inexperto, tratas de ofrecer consejería y orar por las personas que están llenas del espíritu de separatismo e independencia.

2.   Castígalas negándoles acceso.

Pero no prevalecieron, NI SE HALLÓ YA LUGAR PARA ELLOS EN EL CIELO. Y fue lanzado fuera el gran dragón, la serpiente antigua, que se llama diablo y Satanás, el cual engaña al mundo entero; fue arrojado a la tierra, y sus ángeles fueron arrojados con él.

Apocalipsis 12:8-9

A Satanás se le negó el acceso al cielo. El lugar de Satanás en el cielo fue ocupado. Fue muy importante que a Satanás se le haya advertido que no regresara al cielo. Cuando alguien es destituido de su trabajo, se le quitan las llaves de la oficina, y ya no podrá entrar y salir como lo hacía cuando era empleado.

Hay pastores que se van de la iglesia pero se les vuelve a dar la bienvenida y se les permite entrar al recinto, y hasta hacerse pasar como héroes que regresan. Algunas personas incluso se presentan con ofrendas de paz para el pastor contra el que se rebelaron. Cuando permites que estas personas vuelvan, estás cometiendo el error de glorificar la rebelión. Estás permitiendo que personas separatistas inspiren a otros para que se rebelen.

Recuerdo a un pastor que se rebeló y se separó de la congregación. Después de varios meses, asistió a una conferencia de mis pastores. Cuando lo vi, pedí que lo acompañaran a la puerta. Su presencia era indeseable e inaceptable. Yo no quería que su presencia diera el mensaje equivocado. Lo amaba, y todavía lo amo, pero no iba a permitirle que inspirara una rebelión entre los que son fieles.

Su presencia en la conferencia era inaceptable para mí, y me daba cuenta de que era completamente antibíblico incluirlo en esa reunión. Lee tu Biblia detenidamente y no seas infantil cuando se trate de lidiar con personas rebeldes. *Ni se halló ya lugar para ellos en el cielo.* Y tampoco el lugar de una persona rebelde ya no debería hallarse en la iglesia contra la que se rebelaron.

3.   A Satanás lo castigan con confinamiento.

Y fue lanzado fuera el gran dragón, la serpiente antigua, que se llama diablo y Satanás, el cual engaña al mundo entero; fue arrojado A LA TIERRA, y sus ángeles fueron arrojados con él.

Apocalipsis 12:9

Satanás fue confinado a la tierra como parte de su castigo. Sus actividades están ahora limitadas al ámbito terrenal. Las personas que imitan los pecados del diablo, se ven forzadas a vivir en la oscuridad y con dificultades por el resto de sus vidas. Por ejemplo, Absalón fue obligado a vivir en el exilio porque se había rebelado contra su padre. Para los rebeldes es difícil vivir en un lugar como la tierra.

La tierra es un lugar que ha sido maldecido. La tierra es un lugar de sudor y luchas. Satanás y todos los espíritus malignos fueron confinados a la tierra y a su atmósfera. Se ven obligados a andar sin rumbo fijo de lugar en lugar, buscando descanso. Al parecer, en la tierra no hay un buen lugar de reposo para estos espíritus malignos. Por eso tratan afanosamente de entrar en seres humanos. Cuando entran en seres humanos, ven la luz y disfrutan el descanso. «Cuando el espíritu inmundo sale del hombre, anda por lugares secos, buscando reposo, y no lo halla» (Mateo 12:43).

Los demonios pueden expresarse alimentándose de seres humanos y causando adversidades intolerables a los seres humanos. En este mundo de confinamiento, los demonios se ven obligados a alimentarse de carne de seres humanos, y a su vez, ocasionan anormalidades y variaciones intolerables a la vida humana.

Así como los mosquitos sufren y perecen de hambre cuando no tienen sangre para beber, los espíritus malignos tienen luchas cuando no tienen vida humana con la cual alimentarse. El confinamiento de los demonios en la tierra es una terrible experiencia de desasosiego.

4. Castiga a las personas rebeldes manteniéndolas en oscuridad.

Y a los ángeles que no guardaron su dignidad, sino que abandonaron su propia morada, los ha guardado BAJO OSCURIDAD, en prisiones eternas, para el juicio del gran día;

Judas 1:6

En nuestro mundo actual, hay una dimensión invisible en la cual viven las bacterias, los virus y los parásitos. Estas criaturas no son visibles a simple vista, pero existen y ocasionan mucho daño a los seres humanos. Muchos de los virus son tan pequeños que para verlos se necesita un microscopio del tamaño de una casa. El hecho de que no puedas ver esta dimensión invisible no significa que no exista.

Comprender el ámbito en el que las bacterias y virus viven te ayudará a comprender el ámbito de la oscuridad. Es un ámbito en el que hay cosas que no puedes ver. Estas son reales y afectan todo lo que está sucediendo en el mundo que puedes ver.

Satanás ha sido confinado a un ámbito de oscuridad dentro de la atmósfera terrestre. Aparentemente, en nuestro mundo hay un ámbito llamado «oscuridad». En este ámbito todo es oscuro, espeluznante, horripilante y maligno. A un tipo de poder demoniaco se le llama «gobernadores de las tinieblas de este mundo».

Las personas rebeldes deben mantenerse en las tinieblas. No se les debe permitir ver la luz que las personas fieles gozan. Una vez tuve un pastor que se rebeló dolorosamente contra mí. Se separó e inspiró a otros pastores a hacer lo mismo. Recuerda, el separatismo es de origen Satánico.

Un día, recibí una llamada de este separatista. Quería que yo le confiriera las órdenes sagradas en su iglesia. Yo rehusé conferirle las órdenes sagradas. Me preguntaba por qué debería ir con un separatista rebelde y glorificarlo con un servicio de ordenación.

141

¿Por qué querría yo imponer manos en alguien que me despreció? ¿Por qué habría de facultar a un separatista imponiéndole manos y orando por él? ¡Yo no veo a Dios confiriéndole las órdenes sagradas al diablo o consagrándolo como obispo después de que él se separó de los otros ángeles que estaban en el cielo!

Ciertamente rehusé conferirle las órdenes sagradas. Los rebeldes deben permanecer en la oscuridad que ellos han elegido para sí mismos. Así fue como Dios lidió con Satanás, el separatista, quien ocasionó mucha confusión y discordia en el cielo. Este pastor también había ocasionado mucha confusión y discordia en mi iglesia. Había provocado muchos años de discordia que nunca antes había existido en nuestro ministerio. Con semejantes personas debe lidiarse de la misma manera que Dios lidió con Satanás: ¡oscuridad!

5. Castígalas restringiéndolas.

Los demonios y los espíritus malignos están restringidos. Esta es una parte importante del castigo a los demonios. Ellos no lo saben todo, no ven todo y no pueden ir a todas partes. Siempre debes recordar que los demonios son seres encadenados.

Por este motivo, cambiar de ubicación prácticamente puede sacarte de la influencia y poder de ciertos espíritus malignos. Hay personas que caen en pecado tan pronto como cambian de ubicación. Hay otros que regresan de inmediato a la espiritualidad cuando cambian su ubicación. Estos demonios restringidos no tienen la capacidad de seguirte dondequiera que vayas. Los espíritus malignos están restringidos en más de un modo.

Los demonios no entienden todo lo que dices o decides. Orar en lenguas es una de las armas más poderosas porque mantiene tus oraciones, planes y búsquedas fuera del rango de los demonios. Hay espíritus inmundos que andan circulando para escucharte hablar y planear cosas importantes. Por este motivo, ciertos ataques empiezan cuando tú empiezas a planear ciertas cosas.

A los separatistas se les debe restringir. No se les debe permitir tener todos los privilegios que se les dan a los fieles. Si les permites ir a tu casa y entrar en tu vida, no has comprendido con qué estás lidiando.

Una vez tuve a un pastor separatista rebelde que era perfecto en sus caminos hasta que se halló iniquidad en él. La iniquidad de la que estoy hablando es la iniquidad de separatismo e independencia maligna.

Este pastor separatista se retiró de nuestra iglesia y estableció su propio ministerio independiente cerca de la iglesia. Después viajó a cierto país, y a un obispo que no conocía, le solicitó que se convirtiera en su padre espiritual. Allá afuera hay muchas personas rebeldes que están buscando el respaldo de cualquiera que quiera dárselos.

Después de muchos años de silencio, este hombre me llamó por teléfono y dijo que quería hacerme una solicitud sorprendente. Yo me pregunté de qué sorpresa hablaba. Entonces dijo: «Me voy a casar, y me gustaría que oficiaras la ceremonia». Me asombró que este tipo me pidiera que oficiara y bendijera su boda. ¿Por qué no permaneció fiel bajo mi liderazgo si pensaba que yo tenía tal poder para bendecir una boda?

¿Cómo podría alguien que él ya no respetaba tener algún poder para bendecir su boda? ¿Por qué no le hablaba a su nuevo padre espiritual para que desempeñara esas funciones para él? En pocas palabras, le dije que yo no podría bendecir su boda.

Como puedes ver, los separatistas rebeldes deben ser restringidos y no debe concedérseles el mismo acceso y las mismas libertades que tuvieron antes.

Pero este tipo no aceptaba un no como respuesta. Pidió que yo enviara algunos otros obispos principales ¡para que bendijeran su boda! Me asombró que alguien que se había alejado y había causado una guerra virtual en nuestra iglesia, se le ocurriera pedir semejante favor.

¿Estaba esperando que fuéramos, lo glorificáramos y respaldáramos sus actividades? Tuve la difícil tarea de informarle que no había tal persona que pudiera ir a bendecir su boda. Es importante lidiar con separatistas restringiéndolos de la misma manera que Dios ha restringido a Satanás, ¡el separatista original!

> Y a los ángeles que no guardaron su dignidad, sino que abandonaron su propia morada, los ha guardado bajo oscuridad, EN PRISIONES ETERNAS, para el juicio del gran día;

> Judas 1:6

6. Acepta que las personas que amas han cambiado su naturaleza esencial.

> Y fue lanzado fuera el gran DRAGÓN, la SERPIENTE antigua, que se llama diablo y Satanás, el cual engaña al mundo entero; fue arrojado a la tierra, y sus ángeles fueron arrojados con él.

> Apocalipsis 12:9

Satanás se convirtió en una fea serpiente y en un feo dragón. Su naturaleza cambió de una vez y para siempre cuando cayó desde el cielo. Cuando los seres humanos cayeron de la gracia, también cambió su naturaleza. En *El primer libro de Adán y Eva¹* aprendemos cómo cambió la naturaleza de Adán y Eva dramáticamente cuando cayeron de la gracia. Cuando estaban en el huerto, fueron llenos de la gracia de una naturaleza radiante, y tenían corazones que no estaban vueltos hacia cosas terrenales.

Después de la caída, Adán le dijo a Eva: «Mira tus ojos y los míos, los cuales antes contemplaron ángeles en el cielo alabando sin cesar. Ahora no vemos como veíamos; nuestros ojos se han vuelto de carne. No pueden ver como veían antes».

Adán le dijo a Eva: «³¿Qué es nuestro cuerpo hoy comparado con lo que era cuando vivíamos en el huerto³?».

Adán y Eva estaban consternados ante los cambios que se habían producido en sus cuerpos. ¡Todo era diferente! El castigo de caer en la tentación fue severo. El castigo afectó su apariencia esencial.

Observarás que cuando la gente anda en pecado, su apariencia esencial cambia. Si eres perspicaz, puedes virtualmente ver la maldad en el semblante de las personas.

Satanás experimentó una terrible degeneración, y su apariencia cambió cuando cayó de la gracia. Fue completamente metamorfoseado en una criatura fea, caída y limitada. Recuerda que Satanás fue conocido por su belleza, esplendor y atractivo. Hoy, es conocido por su fealdad y apariencia aterradora.

En la actualidad no hay nada más repugnante que una serpiente. Los seres humanos se acobardan cuando ven una serpiente. Una lagartija es una especie de dragón, y verla o tocarla es igual de asqueroso. En lugar de ser perfecto en belleza, esplendor y atractivo, Satanás ahora es un dragón y una serpiente fea y desfigurada.

7.   Acepta que el diablo será atormentado.

Y clamaron diciendo: ¿Qué tienes con nosotros, Jesús, Hijo de Dios? ¿Has venido acá PARA ATORMENTARNOS ANTES DE TIEMPO?

Mateo 8:29

Los demonios van a ser torturados y atormentados para siempre. Torturas y tormentos es lo que les sucede a los peores prisioneros.

Satanás y sus hordas están completamente conscientes del terrible tiempo de tortura que pronto estará sobre ellos. Le temen y le tienen pavor. Cuando Jesús vino a esta tierra, pensaban que había venido a comenzar el período de tormento antes del tiempo establecido.

8.   El castigo de Satanás será nadar en el lago de fuego para siempre.

Entonces dirá también a los de la izquierda: Apartaos de mí, malditos, al FUEGO eterno PREPARADO PARA EL DIABLO Y SUS ÁNGELES.

Mateo 25:41

¿Por qué Satanás no está en el infierno en este momento?

¿Por qué parece que algunas personas rebeldes prosperan? ¿Por qué sucede que algunos separatistas parecen florecer aun cuando han hecho tanto mal?

Efectivamente, todos nosotros nos preguntamos por qué estos espíritus inmundos no han sido enviados al infierno en lugar de que les permitan andar por la tierra sin rumbo fijo.

Satanás y otros ángeles caídos han cometidos crímenes graves contra Dios y contra los seres humanos. Han destruido a toda la raza humana, han corrompido al mundo y han traído mucho mal a la creación de Dios.

Cuando Jesús vino a la tierra, era bastante claro que los espíritus malignos andaban libres y sin rumbo fijo, habitando seres humanos, ocasionando enfermedades y haciendo daño. En una ocasión, ¡hasta seis mil espíritus malignos se encontraban en un ser humano! ¿Por qué esos seres malignos no fueron enviados al infierno hace mucho tiempo? Cuando Jesús los echó fuera, lo resistieron y dijeron: «Queremos meternos en los puercos».

En una ocasión, los espíritus malignos le dijeron a Jesús que no era el tiempo de ser castigados. «¿Por qué has venido a atormentarnos antes de tiempo?», preguntaron.

Cuando llegó a la otra orilla, a la tierra de los gadarenos, vinieron a su encuentro dos endemoniados que salían de los sepulcros, feroces en gran manera, tanto que

nadie podía pasar por aquel camino.

Y clamaron diciendo: ¿Qué tienes con nosotros, Jesús, Hijo de Dios? ¿HAS VENIDO ACÁ PARA ATORMENTARNOS ANTES DE TIEMPO?

Mateo 8:28-29

Hay individuos que ni son deseables ni útiles, pero deben ser parte de la sociedad hasta que se les impone su castigo definitivo.

¿Nunca has visto que personas que están acusadas de crímenes terribles son libres de irse hasta que se les da el veredicto final? Michael Jackson fue acusado de varios crímenes, pero se le permitió ir a su casa todos los días hasta el día del juicio. Si lo hubieran hallado culpable, lo habrían tenido bajo custodia y lo habrían tenido en la cárcel durante muchos años.

El presidente Charles Taylor de Liberia fue acusado de crímenes contra la humanidad. Antes de que se diera el veredicto final sobre su caso, se le permitió vivir una vida casi normal en una agradable prisión europea. Se le permitía recibir visitas, interactuar con personas y hacer llamadas telefónicas. Incluso durante esa temporada ¡procreó un hijo! Estoy seguro de que veía las noticias y leía los periódicos todos los días.

Se le concedían esas libertades solo porque no se había llegado al veredicto final. Hasta su juicio final, vivió en La Haya una vida casi normal, pero restringida. Después del juicio final, sus circunstancias cambiaron y fue llevado a una prisión más difícil y permanente donde no había libertades.

Este es exactamente el mismo destino que Satanás, los ángeles caídos y otros espíritus malignos están enfrentando. Están en un estado restringido y de oscuridad en el que pueden hacer ciertas cosas dentro de su condición debilitada. En la actualidad, los espíritus malignos influyen vidas, ocasionan caos, engaños, asesinatos y destrucción, aun cuando operan en un mundo oscuro y restringido.

Uno de vosotros es diablo

Sin embargo, se acerca el día en el que el veredicto final les será dado. Después de eso, su encarcelamiento será absoluto y serán repudiados, sin poder volver a influir en el mundo.

Cada vez que los espíritus inmundos veían a Jesús, reconocían su propio juicio futuro. Por este motivo gritaban: «¿Has venido acá para atormentarnos antes de tiempo?». ¡Los espíritus inmundos estaban asustados! Pensaban que el día de juicio había llegado.

El juicio final para Satanás y sus ángeles es nadar en el lago de fuego; quemándose y ahogándose por toda la eternidad. Este castigo es la sanción final que Satanás, los ángeles caídos, los príncipes de este mundo, los principados, los poderes, los tronos, los espíritus de maldad, los diablos inmundos y los demonios tendrán que pagar por todo lo que le han hecho a este mundo y a la raza humana.

Satanás estará jadeando, ahogándose, quemándose y gritando cuando nade por las llamas del lago de fuego. ¡Que todos los enemigos de Dios perezcan de igual manera!

Referencias

CAPÍTULO 10

1.   Lumpkin, Joseph, B. (2010) *The Encyclopedia of Lost and Rejected Scriptures: The Pseudepigrapha and Apocrypha* 1 ed. Blountsville, Ala.: Fifth Estate.

2-2.   Ibid.

CAPÍTULO 13

Excerptos tomados de:

"What is Secularism?" *www.gotquestions.org.* Web. 20 Jan 2017. Tomado de https://www.gotquestions.org/what-is-secularism.html

"List_of Wars_of Independence" *en.wikipedia.org.* Web. 20 Jan 2017. Tomado de https://en.wikipedia.org/wiki/List_of_wars_of_independence

CAPÍTULO 22

1.   Lumpkin, J. (2010) *The Encyclopedia of Lost and Rejected Scriptures: The Pseudepigrapha and Apocrypha* 1 ed. Blountsville, Ala.: Fifth Estate.

2-2.   Ibid.,CAPÍTULO IV:8-9

3-3.   Ibid., CAPÍTULO IV:10

Made in United States
Orlando, FL
13 March 2022

15725732R00093